よくわかる経絡治療 脈診ワークブック

たいへんよくできました。

著
大上勝行

医道の日本社

目次 CONTENTS

はじめに ………………………………………………………… IV

1章　脈診とは？

1　脈診の特徴 ……………………………………………… 2
2　なぜ脈を診るか? ……………………………………… 4
3　脈診でわかること ……………………………………… 6
4　脈診の種類 ……………………………………………… 9

2章　脈診の基本技術

1　姿勢を整える …………………………………………… 14
2　指の沈め方 ……………………………………………… 19
　　［ドリル1］いろんな人の脈を診る ………………… 21
　　［ドリル2］毎日同じ人の脈を診る ………………… 22
　　［ドリル3］毎日自分の脈を診る …………………… 23

3章　脈図の書き方を知る

1　脈図を書く意味 ………………………………………… 26
2　全体の脈（祖脈） ……………………………………… 28
3　①浮沈 …………………………………………………… 30
4　②遅数 …………………………………………………… 31
5　③虚実 …………………………………………………… 32
6　④強弱・大小・高低 …………………………………… 33
7　六部定位脈診 …………………………………………… 36
8　脈状診 …………………………………………………… 38

4章　祖脈の特徴と組み合わせ

まずは祖脈で全体を診る ………………………………… 42
浮沈 ………………………………………………………… 44
遅数 ………………………………………………………… 46
虚実 ………………………………………………………… 47
強弱・大小・高低 ………………………………………… 48
浮沈と虚実の組み合わせ ………………………………… 51

5章　脈状

祖脈を組み合わせて脈状を考える ……………………… 58
浮の性質がある脈状 ……………………………………… 59

沈の性質がある脈状 ………………………………………… 66
　　　実の性質がある脈状 ………………………………………… 69
　　　虚の性質がある脈状 ………………………………………… 75
　　　長短の特徴がある脈状 ……………………………………… 81
　　　不整がある脈状 ……………………………………………… 85

6章　証と脈図

　　　証ごとの脈図を知る ………………………………………… 90
　　　①肝虚熱証 …………………………………………………… 92
　　　②肝虚寒証 …………………………………………………… 94
　　　③腎虚熱証 …………………………………………………… 96
　　　④腎虚寒証 …………………………………………………… 98
　　　⑤肺虚陽経実熱証 …………………………………………… 100
　　　⑥肺虚寒証 …………………………………………………… 102
　　　⑦脾虚熱証 …………………………………………………… 104
　　　⑧脾虚寒証 …………………………………………………… 106
　　　⑨脾虚陽明経実熱証 ………………………………………… 108
　　　⑩脾虚胃実熱証 ……………………………………………… 110
　　　⑪脾虚肝実熱証 ……………………………………………… 112
　　　⑫脾虚肝実瘀血証 …………………………………………… 114
　　　⑬肺虚肝実証 ………………………………………………… 116

7章　病と脈の変化

　　　1　寒熱と脈の変化 …………………………………………… 120
　　　2　病症と脈診 ………………………………………………… 122
　　　3　瘀血と脈の変化 …………………………………………… 124
　　　4　寒の邪の侵入と脈の変化 ………………………………… 129
　　　5　暑の邪の侵入と脈の変化 ………………………………… 133
　　　6　湿の邪の侵入と脈の変化 ………………………………… 135
　　　7　虚労と脈の変化 …………………………………………… 137
　　　8　気うつの脈 ………………………………………………… 139

脈図練習シート ………………………………………………………… 142

おわりに ………………………………………………………………… 144

参考文献 ………………………………………………………………… 145

【コラム】
「なぜ脈を診るのか」と患者さんに聞かれたら？ ……………………… 12
妊娠の脈 ………………………………………………………………… 24
男女の脈の違い ………………………………………………………… 40
脈と薬の影響 …………………………………………………………… 118
鍼灸師も『傷寒論』を読もう ………………………………………… 141

はじめに

脈診習得のコツ

脈診を可視化しよう

　経絡治療をマスターする際の難関の一つに、「脈診の習得」が挙げられます。脈診は指先の感覚が大切な上に、自分の感覚と人の感覚とのすりあわせが難しいため指導や共有がしにくく、それが習得の壁になっています。

　本書では脈図を用いて脈診を可視化することで、感覚的であやふやな脈診を理解しやすくし、誰もが習得できることを目的としています。そのために本書で達成すべきことは、主に下記の2つです。

①指先の感覚を脈図に書き起こせるようにする。
②脈図から、身体の中で何が起こっているかを読み取れるようにする。

　正しい脈の診方を身につけて、脈の意味を考えながら練習していけば、脈診は必ず習得できます。その際、問診や腹診など、患者から得られる他の情報のフィードバックをしながら診察していけば、脈診だけでなくその他の診察法も上達し、その結果、より多くの患者さんを楽にすることができます。

章立て

　それでは各章の内容を紹介します。全体像をつかんでから、読み進めてください。

1章　脈診とは？

　ただやみくもに脈を診続けても、脈診は上達しません。しかし、何を診ているのか、何がわかるのかという脈診の仕組みを知って練習すれば、その習得は早くなります。この章ではまず大前提として脈診の意味を知り、その上で脈図やその読み方に入っていきます。

2章　脈診の基本技術

　刺鍼の実技と同じように、脈診にも正しい診方、コツがあります。この章では、無理のない姿勢から、負担の少ない脈診の仕方を紹介しています。安定した脈診を身につけることで、正確な情報を得ることができます。

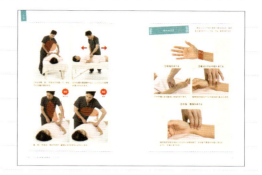

3章　脈図の書き方を知る

　脈診を可視化することで、チェックや学習がしやすくなり、習得しやすくなります。また、虚実を虚実・強弱・大小・高低と細分化することで、あいまいさをできるだけなくすようにしました。

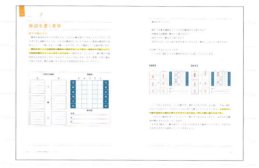

4章　祖脈の特徴と組み合わせ

　脈図の根幹となる祖脈の特徴と病理を理解します。さらに祖脈の組み合わせの性質を知ることで脈状の理解に繋がります。

5章　脈状

　本書では、脈状を「祖脈の組み合わせ」の延長としてとらえています。それぞれの脈状の形状、病理、治療について解説しています。

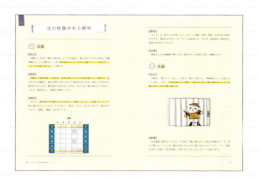

6章　証と脈図

　経絡治療は証に従って治療します。各証によって病理、病症が異なり、当然脈も違ってきます。この章では証ごとに脈図を紹介し、特徴と治療について解説しています。証の分類は『図解よくわかる経絡治療講義』（医道の日本社）に準じます。

7章　病と脈の変化

　病気は快方に向かうにせよ、進行するにせよ、一ヵ所に留まることはありません。それに従って病理も変化し、脈も変化します。この章ではいくつかの病症を題材に、その病理や脈の変化について解説しています。

脈診を武器にしよう

　脈診はたしかに最初から理解することは難しいですが、本書を読み、試行錯誤を繰り返しながら練習を続ければ、きっと脈診を自家薬籠中の物とすることができるでしょう。そうすれば脈診は、あなたの強力な武器になってくれるはずです。

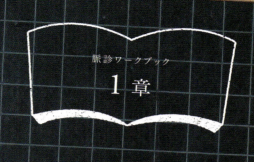

脈診ワークブック
1章

脈診とは？

脈診をマスターするには、とにかく地道に経験を積んで感覚を鍛える以外ありません。しかしその前に、脈にはどんな情報が詰まっているかを知る必要があります。まずは3種類の脈診法の特徴と、鍼灸師は脈によって何を診ているのかを学びましょう。

脈診の特徴

脈診は身体の中を映し出す鏡

　古典医学は身体のアンバランスを修正する医学です。その最も基本的な分類は、陰と陽の2つに分けてバランスをみることです。陰陽のバランスが整っている状態を健康とし、バランスが崩れた状態を病気とします。しかし陰陽はとらえどころがなく、具体的に把握することが難しいです。

古典医学では、望聞問切の四診を駆使して診察することで、陰陽の状態を把握し、状態に応じた選穴や、適切な手技の選択をします。

　脈診は、この中の「切診」に含まれ、主に手首の橈骨動脈によって体内の状態を診ます。脈の形やうち方から、体内で起こっている陰陽の状態を知る方法です。陰陽・虚実・寒熱・気血・元気の程度など、他の診察では得ることが難しい情報を知ることができます。脈診は身体の中を映し出す鏡なのです。

　問診でも患者のつらい症状や体調を知ることはできますが、人の言うことはあてにならないことが多々あります。痛みに対して敏感な人、鈍感な人で表現が違いますし、本人だからといって正確に自分の身体の状態を把握しているわけではありません。問診で得られる情報は、患者の意識などのフィルターを通した情報なのです。脈診はそういったフィルターを通さない、身体の中からのダイレクトな情報を得ることができます。

　逆に脈診の欠点として、術者側の指先の感覚によるものですから、先入観や主観などが正確な診察の邪魔をするようなことがあります。しかし脈診の意味を知り、正しく学び習得することで、病態を把握する一つの柱となり、大いに力を発揮します。

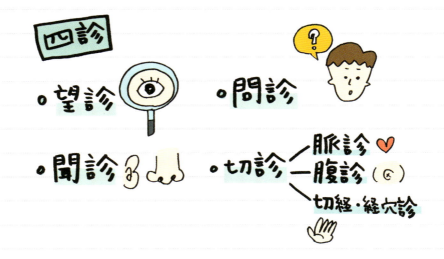

なぜ脈を診るか？

基本情報を知ろう

　一番よい脈診の習得方法は、師匠や先輩に手取り足取り教えてもらうことです。しかし、ただやみくもに指先の感覚に神経を集中するだけではなく、脈を診る意味を意識した上で脈を診ると、上達の度合いが違ってきます。まず基本的な知識を習得しておけば、より早く脈診が身につくようになります。

脈診の最初

　脈診の原始は、身体の各所にある動脈拍動部を診て、その関連部位の様子をうかがうというものでした。たとえば『素問』三部九候論（20）では、人体の九部位の動脈拍動部を診て、身体の変調をうかがっています。

　現在の脈診で使われている手首の橈骨動脈は、数多くの体表に出ている動脈拍動部の中でも、拍動部が長く、衣服などの着脱の必要がなく診察しやすい部位です。そのため、この部位で身体全体の状態を知る脈診法が開発され、発展してきました。

何を診ているか？

　では一体、手首の動脈で何を診ているのでしょうか？

　正解は、脈診では「気の状態」を診ています。もう少し詳しく言えば、胃の気と各臓の真気を診ているのです。

脈気＝胃の気＋臓の真気

人は水穀を口から入れ、胃という釜で、コトコト焚いて「気」をつくります。これが「胃の気」です。胃の気が胸に上がり、心肺の力で経絡を巡り、全身を栄養し運営しています。

　経絡は経穴人形にあるように、体表を流れているだけではありません。表裏・内外・臓腑など全身を網羅しています。そうして臓に行ったときに「胃の気」という栄養を渡す代わりに「臓の真気」をもらってきます。そして、「臓の真気」も胃の気とともに全身を巡り、支配部位を中心として全身を運営します。

　このように人体は「胃の気」と「臓の真気」によって栄養・運営されています。経絡は肺経を始まりとして、1本の環として繋がっているので、「胃の気」と「臓の真気」も一緒に経絡上を巡り、スタートラインである肺経の寸口に戻ってきます。ですから、寸口の脈を診れば身体全体の状態を知ることができるのです。

脈診でわかること

気の状態

　経絡の中には身体を運営している「気」が流れています。身体の中に気がたくさんあれば、脈は大きく、強く、充実したものになります。逆に少ないと、脈は小さく、弱く、空虚なものになります。また、気の中にも陰陽があります。陰陽のバランスが崩れ、陽が多くなると、脈はたとえば「浮く」「速い」などの、陽の性質が強くなります。逆に陰が多くなると、脈はたとえば「沈む」「遅い」などの、陰の性質が強くなります。

　このような身体の状態を脈の形やうち方で読み取る方法に、祖脈診や脈状診があります。

寸口部を２つに分けたときの陰陽

　手首の動脈拍動部のことを「寸口」と言います。この寸口部の脈をもう少し細かく分けて見ていきましょう。

　まずは陰陽です。大自然が天は陽、地は陰と分かれているように、人の身体も上半身は陽、下半身は陰と分けることができます。

　同じように、手の寸口部の脈も橈骨茎状突起を境にして、陰陽の２つに分けて診ます。手のひら、身体の外側に近いほうを陽として「寸口」と言います。動脈拍動部全体を表す「寸口」と混同しやすいので、気をつけてください。肘、身体の内側に近いほうを陰として「尺中」と言います。

　先ほど、寸口の脈で全身の状態がわかるという話をしました。これは寸口部の脈を陰陽２つに分けた場合にも同じように考えられます。寸口では身体の陽の部、つまり上半身を診て、尺中では身体の陰の部、つまり下半身を診ることができるといえます。

　手のひらを人の顔だとイメージすると、よくわかると思います。

寸口部を３つに分けたときの三焦

　寸口部を３つに分けたときには、手首の側から寸口、関上、尺中と名づけています。人の身体を３つに分けるときには胸から上を上焦、胸の下から臍までを中焦、臍から下を下焦というように分けます。

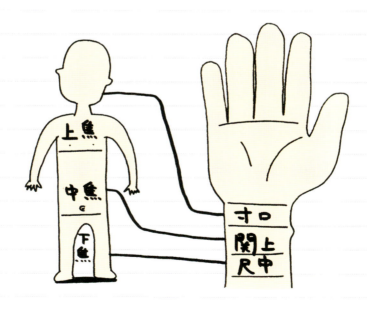

さらに上焦にある心と肺、中焦にある肝と脾、下焦にある腎と命門（心包）を、左右に配当すると、多くの経絡治療家が使っている六部定位脈診の六部の臓の配当になります。

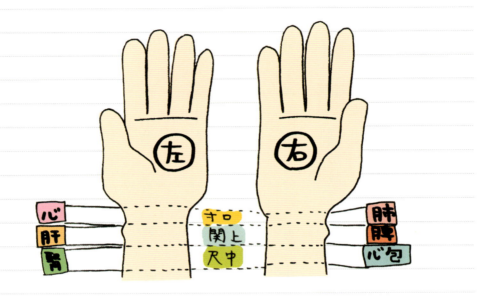

　「1本の橈骨動脈を分けて診るなんておかしい」と言って、六部定位脈診のような脈診法を否定する声を耳にすることがありますが、このように陰陽論にのっとって考えると、あながち空論ではないことがご理解いただけたと思います。
　こうして、全身を巡って寸口部に戻ってきた脈を診れば、臓の虚実をはじめとする全身の情報を知ることができます。

脈診の種類

脈診を治療に結びつけるには

　古来よりさまざまな脈診法があり、現在でもいろいろな脈診を取り入れた診察が行われています。大切なのは、脈診から何を知るかということです。たとえ指先の感覚が鋭く、いろいろな脈が診られるようになったとしても、それが東洋医学的な診断・治療と結びつかないのであれば意味がありません。経絡治療では病態把握の役に立ち、治療に結びつけることができる次の脈診法を段階的に採用しています。

①六部定位脈診

　手首の橈骨動脈の拍動部を寸口・関上・尺中の三部位に分け、それぞれを人体の上焦・中焦・下焦に対応させ、左右六部位に臓腑十二経絡を配当した脈診法です。六部定位脈診では、身体の中のどの部位が悪いかがわかります。

　経絡治療では「経絡」の「虚実」を診るので、診察の根幹となる脈診法です。

②祖脈診

　祖脈診は、脈の形や勢いを診る脈診法です。浮沈・遅数・虚実の基本的な三対の脈を診ます。浮沈は「表裏」、遅数は「寒熱」を診ています。六部定位脈診に祖脈診を加えるということは、経絡の虚実に表裏、寒熱という概念を加えることになり、その組み合わせにより、病理を詳しくとらえることができるようになります。

③脈状診

　祖脈診と同じく脈の形や勢いを診る脈診法で、約30種類に細分化されます。約30種類の脈は、祖脈診より具体的に詳しく表現されていて、病理や病症と結びついています。しかし、その基本は祖脈の組み合わせにあります。

　『瀕湖脈学』などの脈診の本を読むと、まず「脈の形」について書かれています。たとえば、「弦脈とは弓弦のごとし」というように、具体的にイメージしやすく書かれているのです。そのあとは、血虚や気虚といった「病理」についてや、その脈状の特徴的な「病症」について書かれています。ですから、脈状を選ぶときに、どうしても「脈の形」を直接「病理」「病症」に結びつけてしまいます。

　それはそれで役に立つのですが、脈診の理解のためには、そのあたりは一度取っ

払ってもらったほうがよいです。「脈がどういった形か」ということはもちろん大切ですが、==脈状を理解するためには、まず「脈の形」を陰陽・虚実・寒熱で分類することのほうが大切です。==

安土桃山時代の医師、曲直瀬道三(まなせどうさん)は「脈状というのは二十四とか三十とかいろいろあるように言いますが、とどのつまりは浮沈・遅数・虚実の組み合わせですよ」と語っています。

> **「脈状とは？」（曲直瀬道三）**
>
> ・「これを集めれば、則ち**浮沈・遅数**の四つの他なし」
> ・「病、表裏、陰陽の心にかけて、虚実寒熱を文明にせば、治療の誤まりあるべからず。その**虚実・寒熱・表裏・陰陽**をば浮沈遅数の四を分別するなり」
>
> 『増補脈論口訣』

つまり、脈状は「祖脈の組み合わせ」ということです。診察の基本は、虚実・寒熱・表裏・陰陽から外れることはないのです。

次の図は脈状を浮沈・遅数・虚実の祖脈に分類したものです。

主な脈状の分類

浮	浮・大・洪・濡・散・芤
沈	沈・細・伏・牢
遅	遅・緩
数	数・動
虚	虚・芤・緩・微・細・濡・弱・濇・革
実	実・洪・滑・弦・緊

　たとえば芤脈は、白ネギの青い部分みたいな脈だと言いますが、これは軽く触れたときには指に硬く感じるけれども、押さえると中身がなくなる脈ということです。ということは、芤脈は、まず軽く触れたときに指にあたるため、浮の性質があります。そして押さえるとなくなりますから、虚の性質もあります。このように、脈状は祖脈の組み合わせから成り立っているのです。

　便宜上、表にしましたが、これらの脈状の性質は必ずしもここに入っている通りではありません。この分類はあくまでもベーシックなものだと考えてください。組み合わせによって、虚に傾くときもあるし、実に傾くときもあるからです。

　本書ではこれから、3種の脈診の方法と治療への活かし方を解説していきます。

# 「なぜ脈を診るのか」と患者さんに聞かれたら？

経絡治療学会のシンポジウムで次のような質問がありました。

脈を診ていると、患者さんから
「どうして脈を診ているんですか？　何がわかるんですか？」
とよく聞かれます。何と答えたらいいでしょうか？

この質問に対して、私は「当院では次のようにお答えしています」と回答しました。

「当院で行っている鍼治療は、昔ながらのやり方です。病院でお医者さんがレントゲンを撮ったり、検査をする代わりに、ここでは脈やお腹、舌を診て、身体の中に起こっていることを知ります。風邪をひいて熱が出ると、脈は速くなりますよね。逆に冷えると遅くなります。ほかにも大きいとか小さいとか、強いとか弱いとかを診て、身体の中に何が起こっているかがわかる方法が、昔の中国の医学書には載っています。それを勉強して、身体の中のことを知り、どこに鍼をうつかを決めているのです。」

脈診について患者さんに上手く説明して理解してもらうのは、とても難しいですが、参考にしてみてください。

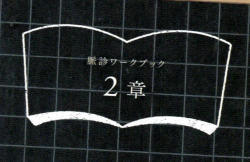

脈診ワークブック
2章

脈診の基本技術

　脈を診るときには、正しい姿勢が最も大切です。本章では、脈を診るための「型」「動作」についての解説と、効果的な練習法を紹介します。一度理論を取っ払って、実際の臨床を想定しながら脈診の基本を勉強しましょう。

2章 PART 1

TITLE.

姿勢を整える

いつでも安定した同じ姿勢で脈を診る

　本章では、最初に脈を診る姿勢や動作について説明をします。『よくわかる経絡治療実践トレーニング』（医道の日本社）でも解説をしていますが、脈診においても型をつくることが大切です。==いかなるときも同一の環境で脈を診ることができれば、結果にも一定の正確さがでて、診察も安定してきます。==

　脈を診るときにも姿勢が大切です。窮屈で不安定な姿勢で脈を診ていると、軽按や重按が安定せず、脈診も正確さを欠きます。注目すべきポイントは、最初の姿勢と立ち位置です。順を追って説明していきます。

脈診の流れと姿勢

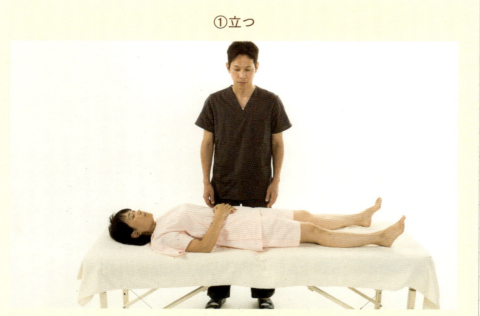

①立つ

患者の左側、患者のベルトラインに立ちます。基本的な立ち方は、『よくわかる経絡治療実践トレーニング』を参考にしてください。

②ベッドに向かう

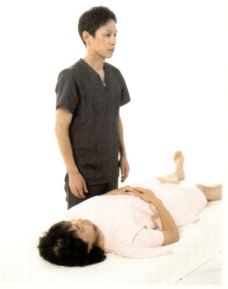
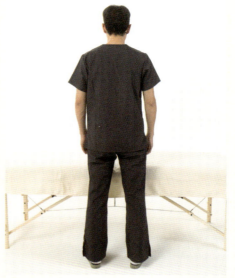

まっすぐベッドに向かいます。

足は肩幅に広げ、左右水平に立ちます。

③指をおく

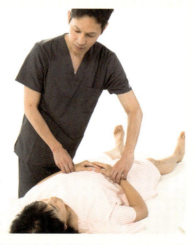

上半身を患者と向き合うようにひねって、両手の手首に指をおきます。指のおき方は、p.17の「指のおき方」を参照してください。

前かがみになりすぎないように、なるべく中心軸を意識した立ち方をします。

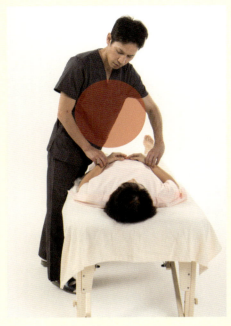

このとき肩、肘、手首は力を抜いて、ゆるやかな輪を描きます。

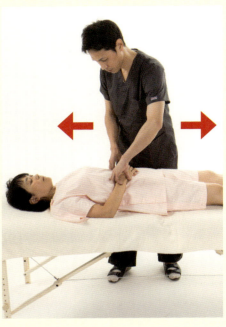

立ち位置を微調整すると、しっくりした姿勢が見つけられます。

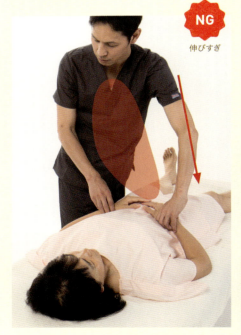

NG 伸びすぎ

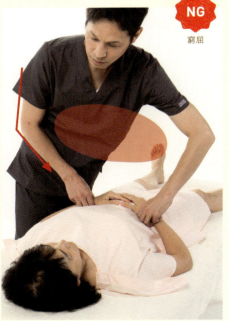

NG 窮屈

肩、肘、手首は、伸びすぎず、窮屈になりすぎないようにします。

指のおき方

脈は左右の手首の橈骨動脈を診ます。橈骨茎状突起を中心に示指、中指、薬指をあてます。

①母指をあてる

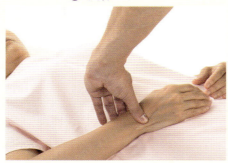

手の甲側にある陽池に母指をあてます。

②基点とする中指をあてる

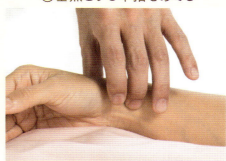

橈骨茎状突起の下に中指をあて基点とします。

③示指、薬指をあてる

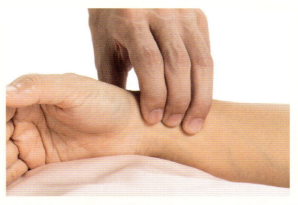

橈骨茎状突起を挟みこむように示指をあて、その後で薬指も中指に添えるように、手首にあてます。

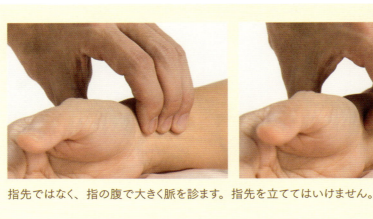

指先ではなく、指の腹で大きく脈を診ます。指先を立ててはいけません。

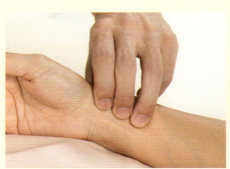

指は脈に対して、直角にします。斜めにあててはいけません。

　1章で解説した通り、示指の部位を「寸口」、中指の部位を「関上」、薬指の部位を「尺中」と呼びます。左右6ヵ所の部位に臓腑が配当されており、それぞれの部位ごとに分けて診ることで、臓腑の状態を知ることができます。「6ヵ所の定められた部位の脈」を診るので、「六部定位脈診」という名前がついています。

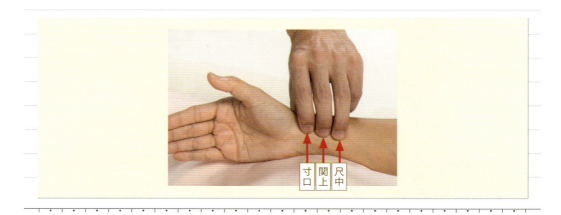

PART 2
TITLE.

指の沈め方

脈は「つかむ」「とらえる」ものではない

　セミナーなどで初心者に「脈を診てください」というと、皆さん決まって脈を「つかもう」とします。これは西洋医学的な「1分間に何拍」という脈診が身についているためでしょう。どうしても、脈拍を取りにいってしまうのです。

　「脈を診る」ということは、身体の中の状態をうかがうことです。そのため、脈拍だけを知るということではありません。気をつけてほしいのは、いきなり脈を診よう、脈をとらえようとするのではなく、まずは「指を手首に軽くおく」ということです。このとき指に脈を感じなくても結構です。これはこれで「脈が浮いていない」という情報を得たことになるからです。

　それでは気をつけるポイントを、順を追って見ていきましょう。

①指のおき方

　まず陽池に母指をあて、それを支点として示指、中指、薬指を手首にのせるようにおきます。ここまでは前のパートで解説しました。

②ゆっくりスムーズに沈める

　指は均等にゆっくりと沈めていきます。できるだけゆっくり、左右同じように沈めてください。そうすると脈が感じられ、また消えていく瞬間があると思います。しかし、脈を意識するのはその後です。まずはきちんと一定の速度・力・間隔で、指を上げ下げできるように意識してください。

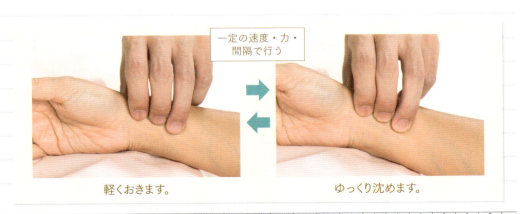

一定の速度・力・間隔で行う

軽くおきます。　　　　　　　　　ゆっくり沈めます。

最初は沈めるスピードが変わったり、スムーズでなかったりします。上げ下げが不規則だと、脈をどのあたりで感じているかもわかりにくくなります。六部定位脈診のような各部位を比較する脈診法の場合は、指の上げ下げにばらつきがあると、正確に比較することができません。

ゆっくりスムーズに上げ下げできるようになると、脈がどこからうちだして、どこから消えるかがよくわかるようになります。自動車で走っていると道ばたの看板を見逃すことがありますが、ゆっくり歩いていると見逃さないようなものです。

慣れてきたら、本書の後半で解説する脈図を使って、脈の浮沈・遅数・虚実・大小などを記録します。

③各部位を比べる

全体の脈を把握したら、今度は寸口・関上・尺中、それぞれを診ていきましょう。左右、上下を対比させながら上げ下げするとわかりやすいでしょう。

ここで気をつけないといけないのは、寸・関・尺の各部位で沈める幅が違うということです。寸口は心肺で上焦にあり、陽の性質が強いので、脈も浮いた部位で診ます。尺中は腎で下焦にあり、陰の性質が強いので、脈も沈めた部位で診ます。

実際には、意識せずとも手のひらに近づくにつれ骨が浮いてくるので、自然と寸口は沈める幅が浅くなり、尺中は深くなります。ですから、それぞれの部位で浮・中・沈を設定して脈を診るようにします。

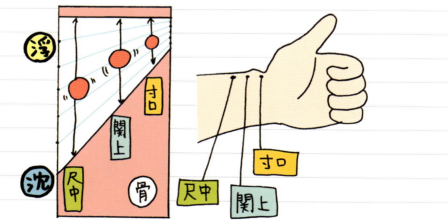

『脈診習得法（MAM）―だれでも脈診ができるようになる―』（木戸正雄編著、光澤弘、武藤厚子著、医歯薬出版株式会社）脈診部位のMRI画像（矢状面）を参考に作図

ドリル 1　いろんな人の脈を診る

目的　一般的な脈を知る
レベル ★☆☆☆☆
目標　1日3人（週20人以上）

　一口に「脈を診る」というだけでも、なかなか難しいものです。本来、脈の虚実・遅数・浮沈などを判定するには、虚実・遅数・浮沈などに偏らない、平均的な脈というものを知っていないといけないからです。

　これにはセミナーや研究会などで、脈診のわかる人に、「これが虚実に偏っていない脈だよ」というように教えてもらわないといけません。しかし、よしんば教えてもらえたとしても、その感覚や感触を覚えるには1回や2回では到底無理です。

　ですから、まず最初は偏っていない普通の脈、平脈にこだわることなく、いろいろな人の脈をたくさん、何回も診ていくことが大切です。脈図もつけられるとベストです。多くの人を診ているうちに、平均的な普通の脈というものがわかるようになっていきます。

ドリル 2 毎日同じ人の脈を診る

目的 病症と脈診を結びつける練習

レベル ★☆☆☆☆
目標　1人を1ヵ月毎日

　脈診の上達の秘訣は、毎日脈を診ることです。あたり前のようですが、毎日の積み重ねに勝るものはありません。同じ人の脈を毎日診ましょう。家族、友人など身近な人でかまいません。初めはわかりにくくても、毎日診て、できれば脈図に書き留めておきます。

　毎日診ることで、その人の普段の脈がわかるようになります。浮沈、遅数、虚実、基本証など、普段の脈には体質や持病の情報が含まれています。

　毎日続けるうちに、「今日は脈が速いな」とか「いつもより弱いな」というのがわかるようになってきます。そういったときには、体調の変化がないかどうか聞いてみましょう。「今日はちょっと熱っぽい」、「ゆうべ、よく寝られなかった」などの情報が聞き出せれば、その変化による脈の変化だということがわかります。このようにして、病症と脈診を結びつける練習をしましょう。

ドリル3 毎日自分の脈を診る

目的 脈の変化を知る
レベル ★☆☆☆☆
目標　1日3回

　ドリル2が難しい人でも、毎日同じ人の脈を診るのに、確実に1人確保できる方法があります。それは自分です。肘を曲げて、胸の前で診ると診やすいです。自分で診るときも、あてる指が反対になってはいけません。寸口に示指、関上に中指、尺中に薬指をあてます。まずは朝起きたときの脈を診ます。目覚めはどうですか？　ぐっすり眠れましたか？　脈は昨日と違いますか？　脈を診ながら自分に語りかけてみましょう。

　トイレに行った後、食後、怒ったときなど、たびたびに脈を診ましょう。そうすると「食後は胃がよく働くから、胃の脈が強くなるんだ！」など、新たな発見があると思います。

妊娠の脈

　妊娠すると脈にも変化があります。おそらく検査キットよりも早く徴候が診られると思います。ただし、「妊娠しているかな？」と思っても、ぬか喜びさせるわけにはいきませんので、患者さんには伝えません。初期は何があるかわかりませんしね。

　「妊娠の脈は、右尺中が弦・実」と言われていますが、右の尺中に限らず、左右が沈んで強くなり、弦・滑などになります。しかしだからと言って「これが妊娠の脈だ！」と覚えるのではなく、「下焦に陽気の塊ができるから尺中の脈が強くなる」と身体の状態と結びつけて考えてください。

　逆に言うと、妊娠初期にもかかわらず、尺中の脈が弱い人は、お子さんの育ちが悪い可能性があるので、改善するような治療を心がけ、鍼で悪くしないように気をつけて治療しないといけません。

脈診ワークブック
3章

脈図の書き方を知る

本章では、脈診の練習を行うときに、脈のスコア表、「脈図」を使って可視化する方法を教えます。ただやみくもに指先の感覚を鍛えるのではなく、しっかり理解して書きとめることでめきめき上達するほか、鍼灸師仲間との意見交換にも役立ちます。

脈図を書く意味

脈を可視化する

脈診の基本的なやり方を覚えたら、どんどん脈を診ていきましょう。ただし、何も考えずに診続けていても、なかなか脈診は上手になりません。脈診は感覚的で表現しにくく、言葉にすることが難しいものです。そこで脈図として記録を残します。==脈図を書くことは感覚的な脈診を可視化することであり、身体の中で起こっている病理状態をイメージしやすくなります。==可視化することによって、個人個人の感覚的なものを共有しやすくなるので、チェックがしやすくなり、指導・自習・臨床に役立ちます。脈の記録には下記のような図を活用するとよいでしょう。

六部定位脈診		祖脈診

左　　　　　　右　　　　　　　5　4　3　2　1

寸／関／尺

浮数実強大高　／　沈遅虚弱小低

脈状診

全体：
左：
右：

参考：『脈診習得法（MAM）―だれでも脈診ができるようになる―』（木戸正雄編著、光澤弘、武藤厚子著、医歯薬出版株式会社）

脈図を書くことで、

・師匠（先輩や講師など）と自分の脈診がどう違うのか？
・治療前と治療後、脈はどう違うのか？
・前回と今回、脈はどう違うのか？
・患者さんがいつもと違う症状を訴えてきたとき、脈はいつもとどう違うのか？

を比較できるようになります。
　たとえば、師匠と自分の脈図が次のように違っていたとします。

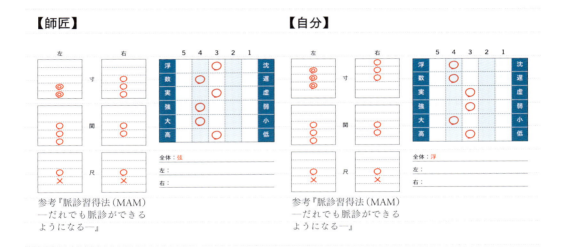

　ここで気になるのは、寸口の脈です。師匠と自分ではずいぶん違いますね。師匠の見立てに比べて、左右の寸口ともに浮いた脈としてとらえています。これは寸口の脈を最初から強めに押さえすぎているために、浮いた脈に感じたのです。
　このように脈図を書くことによって、修正すべき点がはっきりし、あやふやな脈診が確かなものになっていきます。
　まずは手際よく、脈を診てスコアをつけられるよう練習してください。それでは具体的な書き方の説明に入っていきましょう。

全体の脈（祖脈）

まずは祖脈で全体を知る

　最初に祖脈を診て、おおまかに身体の状態をつかみます。まず脈全体の状態から、今患者さんの身体がどうなっているかを知ることで、病態の把握ができ、病気そのものへのアプローチも確かなものになります。

　本来祖脈とは、浮沈・遅数・虚実の三対ですが、本書では虚実をもう少し具体的にとらえられるように、強弱・大小・高低を加えた六対で診る方法を紹介します。全体の脈はこの図に書き入れていきます。

全体の脈（祖脈）

	5	4	3	2	1	
浮						沈
数						遅
実						虚
強						弱
大						小
高						低

陽 ←——————————→ 陰

　左側は陽、右側は陰に関連した脈が書かれています。その程度を5段階に分け、それぞれの段の、適当だと思う枠に○を一つ入れます。

　上に数字を振ってあるのは、自分が脈診をして、他者に記述してもらうときに便利なためです。「浮沈4、遅数3、虚実2……」というように言えば、伝えやすいです。

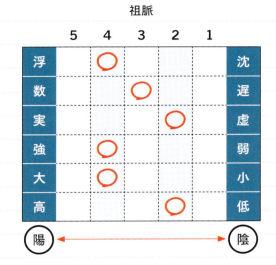

　5段階に分けていると難しく感じますが、最初はだいたいの感じで結構です。たとえば「浮沈」の段であれば、明らかに浮いていれば5、明らかに沈んでいれば1、真ん中であれば3と記入します。その他の迷ったもの、やや浮き気味かなと思ったものは4、やや沈んでいるなと思ったものは2を入れてください。

　また寸関尺それぞれで浮沈・遅数・虚実が違うことも当然あります。しかし、ここでは身体全体のおおまかな陰陽虚実を知ることが目的ですから、脈全体から感じたままを書いてみてください。

　経絡治療というと、「六部定位脈診で経絡の虚実を診る！」と思うでしょうが、まずは祖脈を中心に診ることで、全体の状態をつかんでください。

　それでは、次のパートから、祖脈のそれぞれの項目をどう診るかを確認しましょう。

①浮沈

浮いている？　沈んでいる？

　「浮」は体表部に、「沈」は身体の奥に陽気があることを意味します。5段階で言うと、陽池に母指をあて、橈骨動脈に示指・中指・薬指の3本の指をのせた時点で脈に触れれば、5です。

　「脈を診てください」というと、多くの人がいきなり脈をつかもうとします。しかしそうすると、表部の陽気の有無を知ることが難しくなります。まずは軽按（軽い圧）で、最表部の陽気の状態を診ます。軽按で脈が触れないのは、「最表部に陽気がない」という意味で、脈に触れないことにも意味があるのです。いきなり脈をつかむと、それがわからなくなってしまいます。

　軽く指をのせた段階を「5」として、最も重按（重い圧）した段階を「1」とします。浮沈を診るということは、深さを診るということですから、その真ん中が「3」、やや浮が「4」、やや沈が「2」ということになります。

　均等に指を沈めて行けばわかりますが、寸口と尺中とでは、最も重按した位置が違います。手首に近いほど浅く、肘に近づくほど深くなるからです。ですから寸口は浅いので5段階それぞれの幅が小さく、尺中は逆に深いので幅が大きくなります。

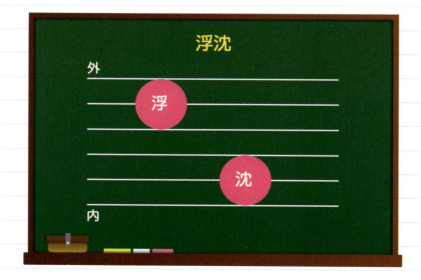

PART

TITLE.

②遅数

速い？　遅い？

　古典医学では、正常な脈の速さとは一呼吸に4～5拍であると言われています。ちなみに、基準となるこの「一呼吸」は術者の呼吸でカウントします。基本的には「遅」は寒を、「数」は熱を意味します。

　5段階で言うと正常な速さを「3」とし、明らかに速いものは「5」、明らかに遅いものは「1」です。「5」か「3」か迷ったときは「4」に、「3」か「1」か迷ったときは「2」にチェックを入れてください。

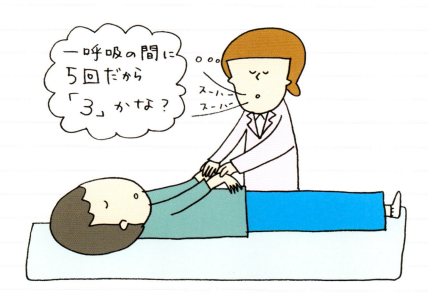

31

③虚実

充実？　空虚？

脈診を、六部定位脈診から学ぶと、

大＝実　小＝虚
強＝実　弱＝虚

ととらえる人が多いようです。

六部定位脈診は「どの経絡が虚しているか？　実しているか？」を診る脈診法ですから、六部の脈それぞれを比較することで虚実を分類します。すると、どうしても大小や強弱で虚実を判断するようになるのです。

しかし実際は、触れる脈は大きくても、脈の中が虚している「陰虚の脈」や、触れるのは小さくても硬いままなくならない「陰実の脈」が存在します。

ですから本書の脈図では、虚実をもう少し的確にとらえられるように、「強弱」「大小」「高低」という項目を設けています。そうすれば、「虚実」を本来の意味である「充実・空虚」で感じることができ、本質をより的確にとらえることができます。「虚実」では、中が詰まっているのか、空虚なのか、陰（血・津液）の有無を確認します。

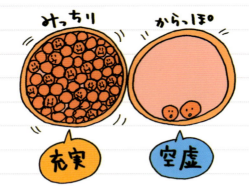

脈図では、軟らかみがあり、かつ充実している脈を真ん中の「3」とし、「2」「1」と進むにつれ虚が進み、「4」「5」と進むにつれ実が進みます。

④強弱・大小・高低

虚実を細分化する

　本書の脈図では、「強弱」「大小」「高低」という項目を設けています。これまで「虚実」として分類していたものを、細かく把握することができ、これらの組み合わせによって、さまざまな病理状態を表現できるようになります。脈状もより具体的に表現することができます。

【強弱】

　強弱は、最初に指にあたった脈の感触を記録します。脈には指のあたりが強いもの、弱いものがあります。「強弱」＝「虚実」ということもあるのですが、陰虚証の浮・大・虚の脈や、湿邪の緩脈、瘀血証の沈・細・濇の脈を表現できるように、この項目を設けました。強弱は指があたったその部位の気の量と考えてよいでしょう。

　5段階で言うと普通の強さを「3」とし、明らかに強いものは「5」、明らかに弱いものは「1」です。「5」か「3」か迷ったときは「4」に、「3」か「1」か迷ったときは「2」にチェックを入れてください。

【大小】

<mark>大小とは脈に触れる大きさです。</mark>本来、脈が大きいというのには2つ意味があります。一つは、身体の中の広範囲に気血が分布されているということです。もう一つは、気血が多いということです。逆に脈が小さいというのは、気血の分布が少ないということと、気血が少ないという意味があります。

ただしここで言う大小は、中身の充実度に関しては考慮しませんから、単に1つ目の気血の分布ととらえていただいて結構です。つまり病気を診るときには病んでいる範囲を表す、と考えればよいでしょう。陰気が虚した脈は、締まりのない大きく弱い脈になります。

5段階で表すと普通の大きさのものを「3」とし、明らかに大きいものは「5」、明らかに小さいものは「1」です。「5」か「3」か迷ったときは「4」に、「3」か「1」か迷ったときは「2」にチェックを入れてください。

【高低】

高低では、脈の波形の大小を記録します。基本的に、脈の波形が高いのは、上下の動きが大きいということですから、陽気が多いということになります。脈の波形が低いのは、上下の動きが小さいということですから、陽気が少ないということです。

また気を阻害するものがあるときも脈波は低くなります。阻害するものが存在するとき、気は充分に発散循環することができずに、その場に留まるため、脈波も低くなります。

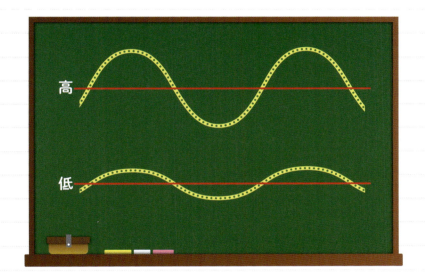

5段階で言うと普通の高さのものを「3」とし、明らかに高いものは「5」、明らかに低いものは「1」です。「5」か「3」か迷ったときは「4」に、「3」か「1」か迷ったときは「2」にチェックを入れてください。

六部定位脈診

①浮沈をチェックする

　祖脈診でおおまかに全体の脈を診たら、次は左右の寸口・関上・尺中の六部それぞれの脈を診ていきます。ここではただ大小・強弱などをとらえるのではなく、指をゆっくりと沈めていき、脈がどこからうちだしたか、どこまでうったかに注目して脈図に書き入れていきます。

　脈がどこからどこまでうったかは、最初はとらえにくく、覚えにくいです。ですから六部それぞれの深さを5段階に分け、うちはじめたところから一つずつ○を入れていきます。このようにして六部定位脈診の脈図をつくります。

　深さを5段階に分けるといっても、寸・関・尺それぞれ深さが違うので、5分割してもそれぞれの幅は違います。ですから、実際はそれぞれの部位の浮・中・沈を頭に入れる必要があります。尺中の沈の部位は、骨にあたるまでになります。この5分割にて行う六部上位脈診の脈図は『脈診習得法（MAM）―だれでも脈診ができるようになる―』（木戸正雄編著、光澤弘、武藤厚子著、医歯薬出版株式会社）を参考に作成しています。

②虚実をチェックする

続いて、同じ表の中で他の部位より強いところは、◎にしてください。非常に強い場合は●にしてください。

また、指のあたりが弱くなるところに✕と書き入れます。いわゆる虚したところです。<mark>浮いていても虚していない脈は、底でもしっかり形があります。</mark>

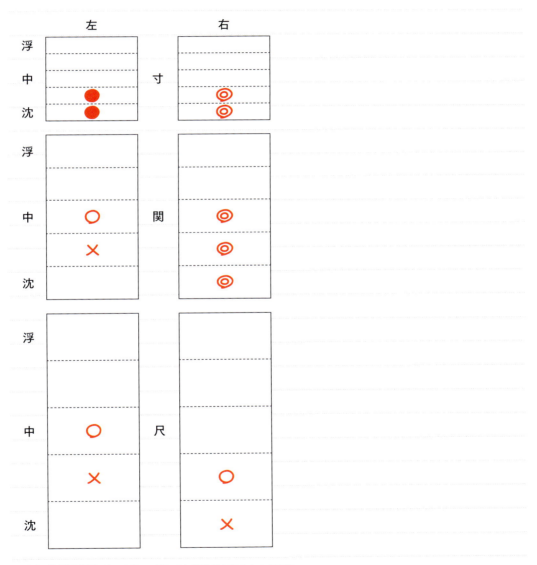

参考『脈診習得法（MAM）―だれでも脈診ができるようになる―』

脈状診

①全体の脈

　最後に、書き入れた脈図を参考に、特徴的な脈状を表しているときは、「全体」のところに脈状を書き込みます。左右それぞれで特徴的な脈状を表しているときは、［左］［右］それぞれに書き込んでください。脈状と脈図の照らし合わせ方は、本書の5章でお伝えします。

六部定位脈診　左　右　寸／関／尺

祖脈診
	5	4	3	2	1	
浮				○		沈
数			○			遅
実	○					虚
強			○			弱
大			○			小
高				○		低

脈状診
全体：沈・実
左：弦
右：滑

参考『脈診習得法（MAM）―だれでも脈診ができるようになる―』

②各部位

六部それぞれの脈状がわかるようなら、寸・関・尺のそれぞれの横に書き留めましょう。たとえば次のような感じです。

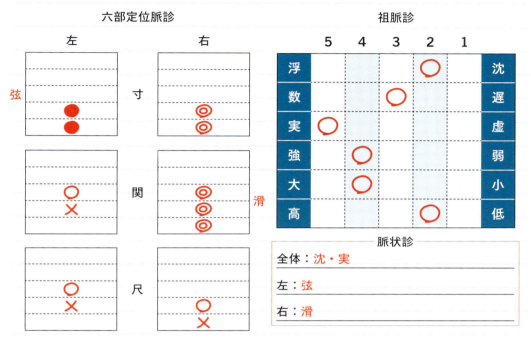

参考『脈診習得法（MAM）—だれでも脈診ができるようになる—』

たとえば咳が出るときは、肺の配当部位である右の寸口に特徴が出ます。右の寸口は、冷えによる咳のときは細・弱・虚（下図①）というような虚脈を現し、熱による咳のときは滑（下図②）や沈・弦（下図③）のような実脈を現します。このようなときは、各部位の横に脈状を書いておきます。

咳が出るときの右寸口の脈の例

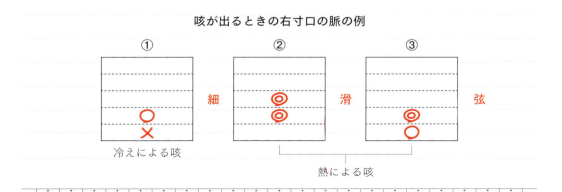

男女の脈の違い

　男性の脈は本来、寸口の脈が大きくて尺中が小さい、逆三角形をしています。女性の脈は寸口が小さくて尺中が大きい、三角形をしています。寸口・関上・尺中というのは、それぞれ上焦・中焦・下焦に対応しています。脈が大きいということは、陽気がたくさんあるということです。つまり男性は、上焦に陽気がたくさんあるのが正常であるということです。反対に女性は、下焦に陽気が集まっているのが正常となります。

　これは男女本来の性質の違いによります。太古の時代、男性は狩りをして食料を集めたり、外敵から家族を守るために神経をピリピリとがらせて生活していました。そのため男性は、頭を働かせる・神経を緊張させることに元々向いているとされています。逆に女性は、妊娠に備えて子宮というベッドをきっちり整え、妊娠したらしっかり育てるために下半身を充実させる必要があります。

　この状態が逆転すると病気になります。たとえば女性の脈が逆三角形になると、頭に気が昇って、イライラしたりピリピリします。女性は本来頭に気を昇らせて、神経を使うような身体ではないので、この感情の揺れによって体調を崩しやすいのです。そういった意味で、女性は感情を原因とする病気になりやすく、治りにくいのです。

　現在は昔と違い、女性が社会進出をし、男性と同じように働いており「男女同権」と言われていますが、それとこれとはまた話が違います。肉体的なことで言うと、女性にしか子どもは産めません。東洋医学で治療するというのは、こういった男女の違いを、しっかり把握していくことが大切です。男女の身体の違いを知った上で、お互いの不得手なところをカバーしあえばいいと思います。

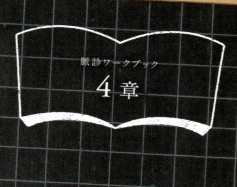

脈診ワークブック
4章

祖脈の特徴と組み合わせ

4〜6章では「脈図の読み解き方、治療への活かし方」を解説していきます。それぞれのチェック項目にどのような意味があるのかを、順に説明していきます。まずは祖脈の対の診方です。浮沈・遅数・虚実・強弱・大小・高低のスコアの意味を解説します。

【 まずは祖脈で全体を診る 】

森を見よう

　前の章でお話しした通り、最初に祖脈を診て、おおまかに身体の状態をつかみます。

　脈というのは身体の中を流れる気血の表れであり、脈を診るということは気血の状態を診るということで、ひいては身体の中の状態を診るということです。

　基本的には、脈が大きいということは、気血が多い、つまり「身体が元気だ」ということになり、脈が小さいということは、気血が少ない、つまり身体の元気がないということになります。

脈のとらえ方

脈 ＝ 陽気（健康）
　　＝ 熱（病気）

　経絡治療の初心者は、経絡の虚実だけにとらわれて、六部定位脈診で一生懸命診ようとするあまり、身体や病気への感心が不在になっている人が多くいます。これでは「木を見て森を見ず」といった感じです。

まず脈全体の状態を診て、患者さんの身体が今どうなっているか、おおまかにつかむことで、病気そのものへのアプローチも確かなものになります。

　本章では、全体をとらえる祖脈のそれぞれの特徴を解説しながら、どう脈図を読み解いて治療に繋げればよいか、それぞれの対ごとに順に説明していきます。

祖脈と病理の関係

脈	病理
浮	表
沈	裏
実	実
虚	虚
数	熱
遅	寒

祖脈と刺鍼の関係

脈	刺鍼
浮	浅
沈	深
実	瀉
虚	補
数	短
遅	長

浮沈

 浮

【形状】
軽く触れたときに指にあたる脈です。

【病理】
　脈の浮沈は、身体の中の陽気の位置を示します。脈が浮いているということは、身体の外側に近い部位、つまり「外」・「表」に陽気があるということです。
　病気のときは、浮沈を診ることで、その病気の位置がわかります。脈が浮いているのは、陽の部分、表の部分に熱の停滞があるということです。つまり身体の外に近いところに熱の停滞があります。

【病症】
　表に近いところに病気があるので、発熱・悪寒・頭痛・腰痛・関節痛などの表症が現れます。

【治療】
　浅い部位に病気があるので、浅く刺します。

 沈

【形状】
軽く触れても感じなくて、押さえていくと底のほうでうつ脈です。

【病理】
　底のほうで脈をうっているということは、すなわち身体の内側に陽気が留まっているということです。つまり「内」・「裏」に陽気が留まっています。

これには陽気が少ないために外に出てこれない場合と、陽気が何かに閉じこめられて出てこれない場合があります。
　また、意外に思われるかもしれませんが、腑に陽気が留まっている場合も脈は沈みます。身体の中で一番外側から遠いところ、一番深いところというのは腑です。「穀道（こくどう）」と言われています。腑が支配している陽経に熱があるときには脈は浮きますが、腑自体に熱があるときには脈は沈むのです。くわしくは陽明病（p.132）を参照してください。

【病症】
　脈が沈んでいるときは、裏に近いところに病気があるので、潮熱・胃腸症状・口渇・便秘・下痢などの裏症が現れます。

【治療】
　深い部位に病気があるので、深く刺します。

遅数

① 数

【形状】
一呼吸の間に6拍以上の脈を言います。

【病理】
基本的に脈の遅数は、身体の中の寒熱の状態を表します。脈が数、つまり速いということは、陽が旺盛であることを表しています。陽が旺盛な状態とは、陽実または陰虚です。

【病症】
発熱、動悸、煩躁、熱による痛みなどが現れます。

【治療】
変化が速いので、速刺速抜です。

② 遅

【形状】
一呼吸に3拍以下の脈のことを言います。

【病理】
脈が遅、つまり遅いということは、陰が旺盛であることを表しています。陰が旺盛な状態とは、陽虚です。陽気が少ないために、寒が発生して脈が遅くなります。

【病症】
寒気、疲労感、脱力、無気力、冷えによる痛みなどが出ます。

【治療】
陽気を補うために留めます。

虚実

 虚

【形状】
虚脈とは、単なる強弱や小さい脈ではありません。中身がなく空虚な脈です。

【病理】
気血の不足を現します。

【病症】
血虚・気虚・津液の虚に伴う症状が出ます。

【治療】
補います。

 実

【形状】
中身が充実した脈です。

【病理】
気血の充実、もしくは停滞や過剰を表します。

【病症】
瘀血・水滞・気滞に伴う症状が出ます。

【治療】
瀉します。

強弱・大小・高低

祖脈は浮沈・遅数・虚実の三対です。しかし虚実は「大小」や「強弱」といったように、いくつかに解釈できます。あいまいな点をなるべく取り除くために、強弱・大小・高低という項目を別につくりました。

強弱

【形状】
強弱とは、最初に指に触れる脈の強さです。

【病理】
強いということは、その部位に陽気が集まっているということです。熱の停滞や血・津液の枯渇による潤いのない状態です。

反対に、弱いということは、陽気がその部位に少ないということになります。陽虚や水の停滞によります。

【病症】
浮沈によって部位が異なるため、病症も変わってきます。

浮で強のときは、強ばりや痛み、熱感などの表部の熱症状を表します。

浮で弱のときは、むくみや悪風などの表部の寒症状を表します。

沈で強のときは、瘀血症状や便秘などの陰実証の症状を表します。

沈で弱のときは、下痢、倦怠感、冷え症状など陽虚証の症状を表します。

【治療】
陽実・陽虚・陰虚・陰実の4パターンがすべてあるので、それぞれの病理に従って補瀉、手技を選びます。たとえば、熱の停滞のときは瀉し、血・津液の枯渇のときは陰を補います。

② 大小

【形状】
　大小とは脈に触れる大きさです。

【病理】
　脈が大きいというのには2つ意味があります。一つは、身体の中の広範囲に気血が分布されているということです。もう一つは、単純に気血が多いということです。陽実・陰虚・陰実があります。
　逆に脈が小さいというのは、気血の分布が少ないということと、気血そのものが少ないという意味があります。陽虚・陰実があります。

【病症】
　大は発熱、発疹、身熱などが現れます。
　小は冷え症、倦怠感、瘀血症状などが現れます。

【治療】
　これも病証に従って補瀉、手技を選びます。
　たとえば大で実のときは速刺速抜の瀉で、大で虚のときはまず陰をしっかり補います。
　小で実のときは輸瀉を、虚のときは接触鍼などを行い、陽虚として補います。

③ 高低

【形状】

　高低とは脈の波形の高さ（振り幅）のことです。

【病理】

　脈はそのうち方で陰陽虚実などを表します。その一つが脈の波動です。陽は動を、陰は静を表します。そこから考えると、脈波が高いのは陽が旺盛ということで陽実です。逆に脈波が低いと、陰が旺盛ということで陽虚です。

　また瘀血・水滞・気滞など、陽気の発散を妨げるものがあると、脈波は低くなります。このときは陰実です。

【病症】

　脈波が高いのは、発熱、発汗など熱症状を表します。

　脈波が低く虚しているときは目眩、ふらつきなど、実しているときは瘀血症状や水滞による諸症状が出ます。

【治療】

　脈波が高いときは、速刺速抜の瀉法です。

　脈波が低く虚しているときは気を補い、実しているときは輸瀉します。

これが祖脈の特徴です。病理、病症と合わせて考えて、臨床に生かせるようにしっかり理解しておきましょう。

【 浮沈と虚実の組み合わせ 】

　祖脈は基本的には「浮と沈」＝「浅と深」、「遅と数」＝「寒と熱」、「虚と実」＝「不足と過剰」を意味します。これらの組み合わせを診ていくと、より多くの情報を得ることができます。
　ここからは、特に重要な、陰陽虚実の組み合わせを知ることができる、浮沈と虚実の組み合わせについて説明します。

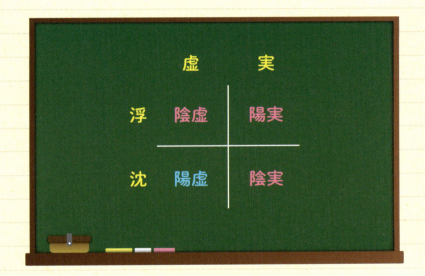

 浮で実の脈

【形状】
　軽按でも強く感じ、重按しても強い脈です。

	5	4	3	2	1	
浮	○					沈
数		○				遅
実	○					虚
強		○				弱
大	○					小
高	○					低

【病理】
　病証は陽実証で、いわゆる外感の病気です。経絡治療的に言うと、肺虚陽経実熱証、脾虚陽明経実熱証です。

【病症】
　発熱・悪寒・関節痛・頭痛・腰痛など表症があります。

【治療】
　熱が表面に近い場所にありますから、浅く速く刺します。病気が表面にあるので、深く刺す必要はないわけです。熱は陽性で動きやすいので、速刺速抜で熱を取ります。

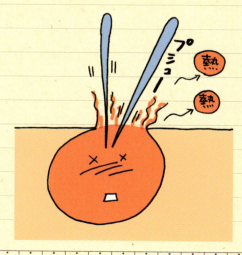

浮で虚の脈

【形状】
　浮で虚の脈は、軽く触れるときは指にあたるけれど、押さえていくと中身がなくなる脈です。

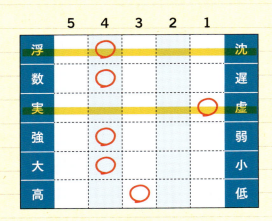

【病理】
　血虚や津液の虚、つまり「形」の虚です。陰虚証ですね。経絡治療的な証分類では、肝虚熱証や腎虚熱証に出ます。

【病症】
　筋肉痛・不眠・イライラ・のぼせなど、血虚や津液の虚と虚熱による病症が現れます。

【治療】
　このようなときには、まず陰を補わなければいけません。まず深めに刺して、留めて陰をしっかりと補います。そして中が充実してきて脈が沈んできたらよいです。それでもまだ表に熱が残るようなら、先ほどの陽実証のように速刺速抜、浅く刺して余分な熱を抜きます。浮で虚の脈は、陰虚と表の陽実とが合わさったような状態です。そのため深めに刺して陰をしっかりと補った上で、表の熱を瀉します。

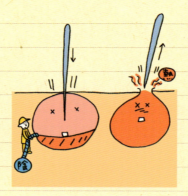

沈で実の脈

【形状】
軽く触れても指に感じないけれど、押さえていくと強く感じる脈です。

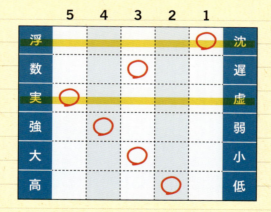

【病理】
　内や裏に熱が滞っている状態、陰実証です。熱は陽ですから、外に出ていこうとします。その外に出ていこうとする力を、押さえつけ邪魔するものがあるということです。本来、全身に巡るべき陽気がそこに閉じ込められますから、沈んで強い脈をうつのです。
　その邪魔するものというのは、気滞・瘀血・水滞・食滞などです。経絡治療的な証分類では、肝実瘀血証や脾虚胃実熱証です。

【病症】

気うつ・婦人科疾患・むくみ・腹満などが現れます。

【治療】

　沈んでいて実のときは、奥に留まっている熱の部分まで鍼を刺し、この熱を外に拡散します。まず深めに刺して、そこの陽気の巡りがよくなったら、ゆっくりとひき抜くことによって全体に熱を拡散する、そういった鍼の仕方が必要になります。

　身体全体にまんべんなくあるべき陽気が、瘀血や水滞や気滞によって中に閉じ込められているわけですから、それをかきまぜて全体にまんべんなく拡散します。

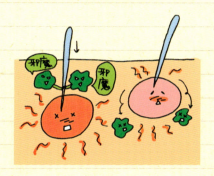

④ 沈で虚の脈

【形状】

　軽按でも触れず、重按していくと、ようやく触れて弱く感じる脈です。

	5	4	3	2	1	
浮					○	沈
数				○		遅
実					○	虚
強					○	弱
大					○	小
高					○	低

【病理】

全体の気血が少なくなってくると、脈は小さく、細く、弱く、沈んでいきます。陽虚証の脈です。

【病症】

疲労感・冷え症・不安感・食欲不振など、寒症状が現れます。

【治療】

陰陽ともに補います。そのためには、土穴や絡穴を使います。理論的には「沈んで虚している」わけですから、本来は深く刺して留めないといけないことになります。しかし、実際には陽虚証は沈の裏の部分だけ虚しているわけではないのです。沈んで弱い脈というのは、陽気が外にまで出てきていませんから、全体に陽虚で、表の部分も裏の部分も虚しています。実際、そういった人には深く刺せません。

そのため、裏の陽気を補うべく、深く刺して長く留めるために、表の陽気を損ねない高度な技術が必要になります。臨床的には、まず表の部分から陽気を補う方がよいでしょう。接触鍼のような柔らかい鍼で、陽気を損なわないように、わずかな気の去来も確かめなければいけません。

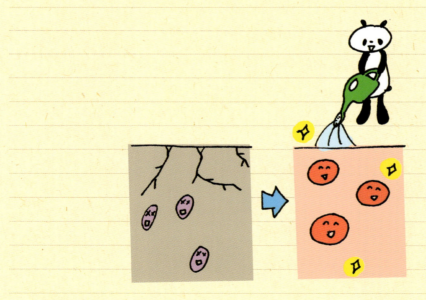

脈診ワークブック
5章

脈状

「脈図の読み解き方、治療への活かし方」、続いては脈状についてです。1章でもお話ししたとおり、脈状は祖脈の組み合わせです。特徴ごとに脈状の脈図を紹介し、どんな治療をしたらよいのか、どんな病理・病症なのかを説明していきます。

祖脈を組み合わせて脈状を考える

　脈状の基本は祖脈です。そして、祖脈の浮沈・遅数・虚実の組み合わせが、「脈状」です。ここから外れて脈の形や表現ばかりにこだわると、病態把握を誤ります。本章では、浮・沈・虚・実の性質を持つ特徴的なもの、そして分類しきれないその他の脈状を、脈図や治療法と絡めて解説していきます。

　これから解説する脈状の分類は、『脈論口訣』（玉池斉，清）の「七表八裏九道」の分類とは違います。各脈状は、単純に浮沈だけで分類できるものではないからです。

主な脈状の分類

浮	浮・大・洪・濡・散・芤
沈	沈・細・伏・牢
遅	遅・緩
数	数・動
虚	虚・芤・緩・微・細・濡・弱・濇・革
実	実・洪・滑・弦・緊

【浮の性質がある脈状】

① 洪脈(こうみゃく)

【形状】

　「極めて太く指下にあり」(『瀕湖脈学』)とあり、軽按でも強い脈です。洪脈の洪は、「洪水」の洪です。洪水をイメージしていただくとよくわかります。雨がたくさん降りすぎて、あふれているのです。

　「夏は洪」と言います。なぜなら夏は陽気が最も旺盛な時期であり、人も陽気が外向きにあふれ出ているから、脈もあふれ出るわけです。

【病理】

　外にあふれるぐらいに、陽気が非常に旺盛な脈です。他にも浮いていて強い脈というのはありますが、同じように陽経の実熱でとらえるとよいと思います。

【脈図】

<mark>指の下に太くあり、軽く触れた状態で強く感じて、押さえていっても実があります。</mark>陽気が旺盛なため、速く、あたりも強いです。陽気が多いから大きく、脈の波も高いです。遅数については、洪脈は波が大きいので、明らかな数脈は出ないだろうと「4」にしました。

洪脈

	5	4	3	2	1	
浮	○					沈
数		○				遅
実	○					虚
強	○					弱
大	○					小
高		○				低

【治療】

基本はもちろん陰を補います。しかし、熱のある部位を瀉して、旺盛な熱を泄らさないといけません。そういう意味で、瘀血処理をするときもあります。

2 濡脈 (なんみゃく)

【形状】

濡は浮で、虚に属する脈です。「極めて軟にして浮細」（『瀕湖脈学』）とありますが、必ずしも浮いていて細いとは限りません。ふわふわとして、触って軟らかい脈です。濡脈には下焦の陽虚と湿邪の2つ意味があります。

【病理】

下焦の陽虚

　下焦の陽虚とは腎虚寒証のことで、腎の津液も命門の気も両方虚した状態です。腎の根本的な力、「元気」がなくなると、陽気を押さえつける力がなくなります。そのため、陽気がふわふわ浮いているわけです。ただ浮いて元気がないので、虚して弱い脈をしています。これが腎の陽虚から起こる浮・虚・弱の濡脈です。

湿邪

　この湿邪は、いわゆる痰飲や、胃に水がたまる湿邪ではなくて、体表面に湿がたまるものです。関節痛や膝痛や身体が重いなど、表面に水がたまる湿邪です。

　湿邪によって発散できない陽気は表に留まりますが、湿邪の水により陽的な力が阻害されます。そうなると、脈は浮いて触れるけれど、陰陽相殺しているために、軟らかい濡脈を現します。ただ表の湿邪ですから、重按では脈を感じます。

【脈図】

下焦の陽虚

　軽按で指にあたりますが、力はなく、極端な浮ではないので、「4」です。陽虚が主体なので、遅・虚・弱・小・低よりになります。

濡脈（下焦の陽虚）

	5	4	3	2	1	
浮		○				沈
数				○		遅
実					○	虚
強					○	弱
大				○		小
高				○		低

湿邪

　軽按で指にあたりますが、あたりは弱いので強弱は「1」。しかし主体は停滞なので、重按するにしたがって、虚の要素は小さくなります。

濡脈（湿邪）

	5	4	3	2	1	
浮		○				沈
数			○			遅
実			○			虚
強					○	弱
大			○			小
高				○		低

【治療】

下焦の陽虚

　原穴の、太渓を補います。または関元でもよいでしょう。これは陽虚が過ぎたら難しいのですが、お年寄りも元来身体のしっかりした方でしたら、関元にちょっと深めに刺して、柔らかく捻転して気を集めるような鍼をすることもあります。透熱灸もよいでしょう。要は腎に陽気が集まるようにします。

湿邪

　治療は脾経を補います。気を補いますから、商丘など金穴がよいです。金穴は気を巡らせます。気が巡ると水も動きます。水穴よりも金穴を使う方が水は動きます。表面の水を巡らせることを考え、温灸をするのもよいでしょう。

③ 散脈

【形状】

　散脈というのは「大にして散」（『瀕湖脈学』）とあり、指にはあたりますが、その後ぱっと散ります。普通の脈というのは、「あたって……戻って……」を繰り返します。それとは異なり、「あたって、散るだけ」という脈で、脈の「形」がありません。

【病理】

　「気は実し、血は虚し、表に有りて裏になし」（『瀕湖脈学』）と表現をしていますが、これは、陽虚証です。脈としての形をなすことができないという意味で「血虚」があり、指にやや強くあたるという意味で「気実」がありますが、形も気も少なくなって、最後の残りの陽気が少しある状態です。だから、芯がなくぱっぱと散る脈になります。

【脈図】

　浮いていて、あたりはやや強いですが脈幅は少ないです。表面のところで「ぱっ、ぱっ、ぱっ……」と散っているわけです。

散脈

	5	4	3	2	1	
浮		○				沈
数		○				遅
実					○	虚
強		○				弱
大		○				小
高					○	低

【治療】
　この場合も陰陽ともに補います。土穴、原穴、絡穴などを補います。

 芤脈(こうみゃく)

【形状】
　芤脈も浮で虚です。「浮大にして軟。これを按じて中央空しく、両辺は実す」(『瀬湖脈学』)とあります。これはネギの青いところをつまむ感じです。ネギの青いところを触ると指に硬いものがあたりますよね。しかし、押さえると中身は空っぽで、「ぺこっ」とへこんでしまうイメージです。

【病理】

　元々、芤脈の中には血が充実していました。その充たされていた状態が、急に「スコーン！となくなった」と、イメージしてください。つまり<mark>急性の出血や、現在も出血しているために、表面の陽気だけが取り残されて中に何もない状態です。</mark>

　本来は、血虚だったら脈の中身が少なくなるので、脈は小さく細く弱くなっていくはずです。急性期や失血中には外は硬いが中身がない脈が起こりうるのです。たとえば、お腹が痛いという患者が来院して、こんな脈をしていたら、ただの腹痛とは違うとわかります。「出血しているのでは？」と疑うことができます。

【脈図】

　軽按では浮いていて強く大きく感じますが、指を押し返すような波はありません。重按すると虚してなくなります。

芤脈

	5	4	3	2	1	
浮	○					沈
数			○			遅
実					○	虚
強	○					弱
大		○				小
高					○	低

【治療】

　治療は「陰をしっかりと補う」ことです。漠然とした表現ですが、陰の血がなくなっているため、陰を充実させないといけません。経絡治療では血虚＝肝虚ですから、脈が浮いていて大きく虚していれば、陰虚証で、陰谷、曲泉を選穴することが多いと思います。しかし芤脈は中身がなくなっていますから、「形」を充足しないといけません。そのため、土穴の太渓、太衝を使う方がよいです。陰虚証でも進んでいくと、形の損傷がひどくなっていきますから、熱を収めるより先に形を補った方がうまくいきます。

65

沈の性質がある脈状

伏脈(ふくみゃく)

【形状】
　伏脈というのは「極めて指を重くしてこれを按じ、骨に着きてすなわち得ん」（『瀬湖脈学』）という脈です。つまり沈み過ぎていて、なかなか感じにくく、底までいったところで指にあたるという脈です。

【病理】
　伏脈は「閉塞の候」と呼ばれ、身体の深いところに気が停滞している脈です。陽気が少ない陽虚と、陽気が閉じ込められている陰実があります。陰実でも外向きの陽気が少ないので、跳ね返す力が少ないのです。そのため、脈も底のほうで伏せています。熱は少なく、閉塞や停滞が主です。

【脈図】
　沈んで、指のあたりが悪いわけですから、「浮沈」が「1」、「高低」が「1」です。陽気が出てこられないだけなので、「虚実」「大小」はさまざまです。熱は少ないので、「遅数」「強弱」は右寄りです。

伏脈

	5	4	3	2	1	
浮					○	沈
数				○		遅
実						虚
強				○		弱
大						小
高					○	低

【病症】

　気・血・水・食などの停滞により、気うつ・積聚・疝瘕・痰飲・宿食などの病症が出ます。熱症状は少ないです。むしろ表面的には、冷え性、倦怠感など寒症状や陽虚の症状が目立ちます。

【治療】

　陽虚のときは接触鍼で補います。陰実のときは深めに刺して輸瀉します。

⑥ 牢脈（ろうみゃく）

【形状】

　牢脈は、「堅牢なり。沈にして力あり、動じて移らず」（『瀕湖脈学』）と表現されています。つまり、牢屋の棒みたいな脈で、底の方に沈んで硬い脈があります。伏脈と似ていますが硬い脈です。

【病理】

　伏は陽虚と陰実が主ですが、牢は沈んで硬い脈なので、陰実と陰虚が主です。沈んで硬いということは、陽気が何らかのものに閉じ込められているケースと、陰虚の度合いが強く、陰が枯渇して潤いがなくなっているケースがあります。

【脈図】

　沈んで、指のあたりが強いですから、「浮沈」が「1」、「強弱」が「5」です。ただ脈波は低いので「高低」は「1」です。陰実だけでなく、陰虚で潤いがない場合もあるので「虚実」「大小」はさまざまです。熱の程度で「遅数」が左右されます。

牢脈

	5	4	3	2	1	
浮					○	沈
数				○		遅
実						虚
強	○					弱
大						小
高					○	低

【病症】

　腎の虚がひどくなると、潤いがなくなってくるケースがあります。そういったときには、陰虚証なのに指に触れる脈がとても硬いことが特徴です。腎は水臓で、正常な脈は「沈濡にして滑」なのに対し、水がなくなると潤いがなくなるので硬くなるのです。このようなとき、「牢脈か？　伏脈か？」と悩む必要はありません。微妙な脈の違いはわからなくても、「沈んでいて、陰陽虚実がどうなっているか」を見極めることで、身体の中の病理状態は把握できます。どう治療したらよいかも自然と導き出せます。

【治療】

　陰虚のときは深めに刺して、補います。陰実のときは深めに刺して輸瀉します。

【実の性質がある脈状】

　最初に、祖脈や脈状は元気の量や質を診ると述べました。単純に言うと、脈図の左側の浮・数・実・強・大・高は元気が旺盛な状態を指し、右側の沈・遅・虚・弱・小・低は元気が衰えている状態を指します。ここでは、「元気が旺盛な状態を実」「衰弱している状態を虚」とし、分類、説明していきます。

⑦ 滑脈（かつみゃく）

【形状】
　滑脈は、「往来すすみしりぞきて流利展軽」(『瀕湖脈学』)とあり、気血ともに充実している脈で、陽気が多く、陰も多いときに現れます。陽気も陰も非常に多いため、玉のようにつるつるっと移動していくようなイメージです。脈管というチューブを、直径以上に大きい気血（玉）が通っていくのです。

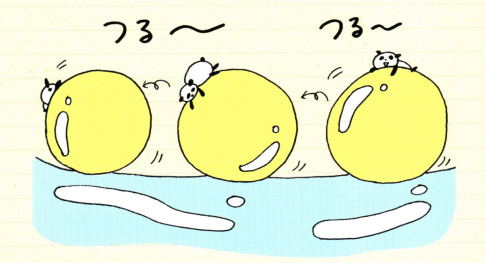

【病理】
　狭いところを、内側にこもった旺盛な熱が無理やり通るので、玉のように指に強くあたります。また、ある程度制限されているところを、たくさんの気血が流れるため、その幅を逸脱したような脈が流れます。気・血・熱が旺盛です。

【脈図】
　滑脈の「浮沈」はさまざまです。気血が多いので「遅数」は速めで、「虚実」「強弱」「大小」は「5」のほうに傾きます。

滑脈

	5	4	3	2	1	
浮						沈
数		○				遅
実	○					虚
強	○					弱
大	○					小
高	○					低

【病症】
　宿食・痰飲・血実に伴う症状が出ます。閉塞や充満が起こりやすいです。

【治療】
　泄らす瀉法が必要ですが、同時に陰気も補わないといけません。

⑧ 弦脈(げんみゃく)

【形状】

　弦脈とは「弦の状のごとし」(『瀕湖脈学』)とあるように、弓の弦を張ったように感じる脈です。
　弦脈のために、脈図のなかに「高低」という項目があると言っても過言ではありません。脈幅の少ない脈、つまり上下の脈の波が小さい脈が弦脈です。
　そして、弦脈には虚実があります。虚実をしっかりと見極めて分けることができないと、治療がうまくいきません。

【病理】

　弦で実というのは、陽気が閉じ込められた脈です。特に脾虚肝実熱証のときに出てくるのですが、熱が少陽経に閉じ込められているのです。半表半裏の位置です。
　そしてもう一つ、弦で虚の脈があります。これは季節でいうと春の脈です。冬が終わり春になると、外の陽気がだんだん増えてきて、身体の中も陽気が増えていきます。そのため脈もだんだん浮いてきて、活動的になっていきます。弦で虚の脈というのはそのときの脈で、「陽気が増えつつあるけれど、まだ充分でない」という脈です。陽気が充分でないから、伸びやかでないんですね。
　身体でいうと、陰虚証や陽虚証で陽気の発散がうまくいかずに、停滞しているのが弦脈です。たとえば、肝虚熱証で浮・大・虚の脈のとき、軽按で脈に触れるのは、発散がうまくいかず、停滞した熱なので弦脈をうっているのです。

【脈図】

　弦脈の「浮沈」「虚実」はさまざまですが、極端な浮脈はありません。「強弱」はあたりは強く、「大小」は大きめです。そしてなにより、「高低」が低いのが弦脈の特徴です。

弦脈

	5	4	3	2	1	
浮						沈
数						遅
実						虚
強		○				弱
大		○				小
高				○		低

【病症】
　少陽経の熱になったときは、往来寒熱・口苦・盗汗があります。血実・痰飲などに伴う症状が出ます。

【治療】
　各証とも陰陽虚実に応じた選穴・手技が必要です。発散しきれない陽気を、どう発散させるかがポイントです。

 緊脈
きんみゃく

【形状】
　緊脈は「縄を切する状のごとし」(『瀬湖脈学』)というように、縄に触れているような脈で、波が少ないです。むしろ「脈波が最も少ない脈」といってもよいでしょう。「縄を張ってぴんぴんと両側から引っ張ると、わずかに揺れる」といったイメージが緊脈です。

【病理】

　緊脈は脈のあたりは強いですが、陽虚です。陽気の守りが弱いので、寒の邪に入ってこられて、緊張した脈になっています。寒の邪は陽気を奪う性質が強いです。そのため、寒の邪とバッティングすることで、陽気が少なくなり脈が細くなり、伸びやかでなくなります。

【脈図】

　緊脈の虚実はわかりにくいです。ぴんぴんと張り、波がないからです。脈の幅も活動的な範囲も狭くなりますが、ぴんぴんと張っているため、あたりは強く感じます。しかし、これは病理的には「実の脈」とは言えません。

緊脈

	5	4	3	2	1	
浮						沈
数		○				遅
実						虚
強		○				弱
大				○		小
高					○	低

【病症】

陽虚ですから、冷え症状や痛みがあります。

【治療】

　緊脈は、浮いている場合も、沈んでいる場合も、陽気を補います。選穴では金穴や土穴・絡穴を用いて、手技では接触鍼などやさしい治療をしてください。浮で緊の場合は、特に病気が動きやすいので、気の去来や、身体の変化を注意しないといけません。

　沈で緊の場合は、奥まで冷えがひどい状態ですから、これも鍼をするのは非常に難しいですね。接触鍼で気を泄らさないようにじっくりと温めるようにします。そのため、灸もよいでしょう。

虚の性質がある脈状

⑩ 緩脈(かんみゃく)

【形状】
　緩脈は軟らかみのある、ゆったりとした脈です。「すこしく遅より駃し」(『瀕湖脈学』)とあります。健康的な状態を表しますが、陽虚の第1段階でもあります。まだ小さくなり始めで、指のあたりがちょっと弱くなった状態が緩脈です。

【病理】
　緩脈は、健康な脈を指すことが多いです。そのときの緩脈の意味は、胃の気が充実していることです。胃の気が充実していれば、栄養を身体中にたくさん運ぶことができます。「充実して軟らかみのある気血が流れる」、これが健康な緩脈です。
　それとは別に病的な緩脈というものもあります。それは、気や血が少しずつ減ってきた状態です。気血が充実してたくさんあるときは、脈は大きく、強く、しっかりしてます。その脈からだんだん気血が少なくなっていくと、脈が弱く、細く、小さくなって沈んでいきます。これも緩脈とされてます。

【脈図】
　やや浮いていて、遅・虚・弱に少し傾きます。

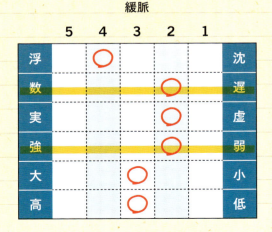

【病症】
悪風・皮膚麻痺・心気不足・目眩などですが、軽症です。

【治療】
陽虚の始まりですから、金穴や土穴で陽気を補います。

 弱脈・細脈・微脈

【形状】
　緩脈からの流れで陽虚が進んでいくと、元気がなくなるに従って、脈の形は虚・弱・小・低に傾きます。弱・細・微の３脈はいずれも陽虚で、弱は「極めて軟にして沈、細」（『瀕湖脈学』）と脈に触れたときの強さに、細は「常に有りてただ細」（『瀕湖脈学』）と大きさに特徴があります。微脈は「絶せんと欲し、有るがごとく無きがごとし」（『瀕湖脈学』）として、それらすべての最たるものです。

【病理】
　陽気が少なくなっていくということは、虚して、弱く、少なく、脈波が低くなっていくことの組み合わせです。この３脈にこだわらず、虚・弱・小・低の程度をみれば、陽虚の程度が判別できます。

【脈図】
　弱脈は緩脈より虚が進み、弱くなっています。細脈は小さく弱くなってきていますが、まだ脈の形は保っている状態です。微脈は細脈からさらに陽虚が進み、脈の形自体も危ぶまれる脈です。陽気が少なくなるにつれ、沈・遅・虚・弱・小・低に傾いていきます。

　弱の段階では虚・弱に、細の段階では小に特に傾いていきます。微になると形がわかりにくくなるぐらい全体に右に傾きます。

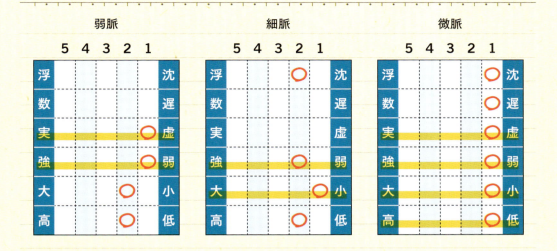

【病症】

　陽気が少なく、全身に行きわたらないので、寒症状が出ます。発熱・嘔吐・泄利など陽虚に伴う症状や、血虚・腎の陽虚に伴う症状が出ます。

【治療】

　陰陽ともに補います。細や微は陰の「形」も損じているので、土穴を用います。陽気を補うときに「慎重に」「しっかり」と言うのは、陽気を損なわないように気をつけるということです。

 濇脈
（しょくみゃく）

【形状】

　濇脈は、「往来難かつ散」（『瀕湖脈学』）とあり、滑脈と相反する脈です。「濇脈がイメージしにくい……」という方が多いですが、滑脈と対比させて考えればよいと思います。滑脈というのは、つるつるつるっと玉が流れるような脈で気血ともに充実した脈です。これに対して濇脈は、気血の流れがスムーズではない脈のイメージで、流れようとしてもつまずく脈です。

　濇脈は虚していて、指のあたりは少ないです。「ぱっぱっ……」というような感じで、散脈と似たような感じです。指のあたりは少なくて、弱く、小さく、中身がない脈です。しかし、散脈のように浮いて速い脈ではありません。

　自然の川というのは、岩があったり、深いところがあったりします。その川が洪水のときなどは水量が多くなり、川の流れもスムーズになります。これが滑脈です。反対に、全体の水量が下がると、底の岩に引っ掛かって、ちょろちょろっと横道に行ったり、流れが悪くなるところが出てきます。これが濇脈のイメージです。

【病理】
　濇脈には、虚の濇脈と実の濇脈があります。虚の濇脈は、気虚や血虚で流れが悪くなって、つまずくような感じです。もう一つ実の濇脈は、中に陽気が詰まっていて、外に発散することができないので、外の気の巡りが悪くなった濇脈です。こちらもつまずくような脈ですが、指のあたりは比較的強くなります。

【脈図】
　特徴的なのは、指のあたりは弱く、やや遅くなります。そしてやや不整です。

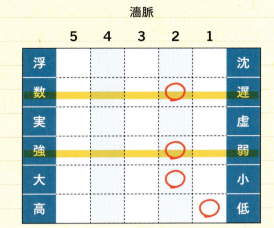

【病症】
不眠・疲労・気うつなど。

【治療】
気血の巡りがよくなるように、虚実に応じて補瀉します。

⑬ 革脈（かくみゃく）

【形状】
革脈は「鼓の革を按ずるがごとし」（『瀕湖脈学』）というように、太鼓の革に触れたような脈です。指を沈めていくと、ピンっと張った脈にあたります。しかし、その中身がないのです。太鼓を思い浮かべてください。皮は張っていますが中身はありませんよね。

【病理】
革脈は男女ともに血虚や津液の虚、つまり肝虚証や腎虚証で起こります。陰陽ともに虚がひどいです。「形」もなく、下焦の陽気、命門がしっかりコントロールできていない状態です。

【脈図】

　陽虚ですから、やや沈みぎみで遅くなります。指のあたりは硬く、弱くはありませんが、重按すると中は空虚です。脈波は低いです。

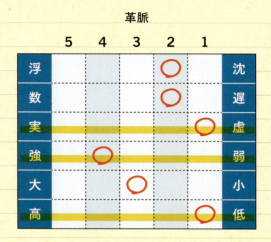

【病症】

　男性は精液を漏らします。女性は流産を起こしやすいです。

【治療】

　金穴、土穴を補います。こうした脈診で、革脈、細脈、微脈などと名前で分けることが目的ではありません。虚の程度を知ることで、どれぐらい慎重に治療をしたらよいか知ることが大切です。虚・小・弱・低に振れていたら、陽気が非常に少ないということですから、ぞんざいに扱ってはいけないということがよくわかるかと思います。

【長短の特徴がある脈状】

⑭ 長脈

【形状】
　長脈というのは文字通り長い脈です。「指下に余りあり」（『瀕湖脈学』）とあり、指を押さえていくと、竹ざおが横たわっているような脈です。「寸・関・尺、あまり差がないような、強い脈が底のほうにある」、そういったイメージの脈です。

【病理】
　長脈は陽気が旺盛で、健康なときの表現にも使います。しかし長いものが奥まったところにあるわけですから、「陽気が内側にこもっているような脈」ということも言えます。

【脈図】
　浮沈は沈に傾きます。実・強・大に傾きます。脈波は低いです。

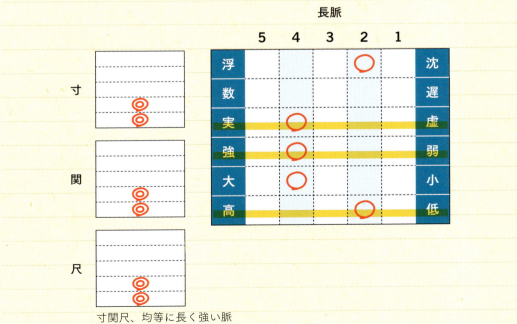

寸関尺、均等に長く強い脈
参考『脈診習得法（MAM）―だれでも脈診ができるようになる―』

【病症】
腹満・逆気・腹痛・うつなどを現します。

【治療】
陽気が内にこもっていますから、輸瀉をして陽気を巡らせます。

短脈(たんみゃく)

【形状】
　長脈に対して短脈は、「両頭になく、中間にあり」(『瀬湖脈学』)とあり、短い脈で寸口や尺中に気が及んでいない脈です。陽気が少なく、中焦にのみ留っているためです。

【病理】
　短脈は、全体的な気が少ないというところがポイントです。脈が短いから気が少ない、長いから気が多いと簡単に考えてください。

【脈図】
全体に陽気が少なく、拍動部は虚・弱・小に傾きます。

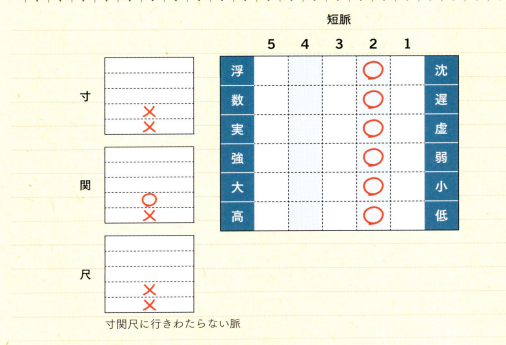

寸関尺に行きわたらない脈

参考『脈診習得法（MAM）―だれでも脈診ができるようになる―』

【病症】

神経衰弱、少腹痛、生理不順などがあります。

【治療】

脾虚寒証でも、三焦の陽気をまず補います。

 動脈（どうみゃく）

【形状】

動脈とは、「関上にあらわれ、頭尾なく豆大のごとく」（『瀕湖脈学』）として関上のところに強い拍動が集まってきている脈です。

【病理】

これは気血の交流がうまくいっていない状態です。上下のバランスが崩れています。陰陽がうまく交流し合っていないので、陰陽は乖離し、あまりよくない状態です。鍼灸院ではあまり診ない症状でしょう。

【脈図】

全体に陽気は少ないですが、拍動部は実、強、大に傾くことが多いです。

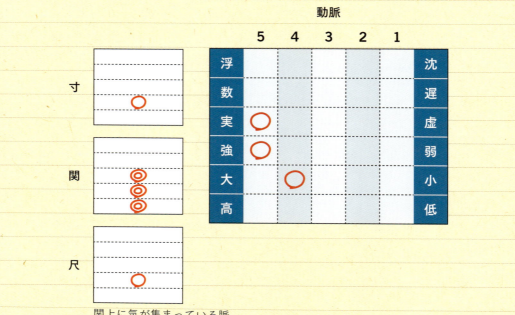

関上に気が集まっている脈

参考『脈診習得法（MAM）―だれでも脈診ができるようになる―』

【病症】

動悸・不安感・拘縮・失精・失血などがあります。

【治療】

脈に忠実に、中焦の実を瀉すのではなく、気血の巡りをしっかりと整えることを第一に考えていきます。脈が実しているから瀉す、と考えてはいけません。

【不整がある脈状】

⑰ 促脈(そくみゃく)

【形状】
　不整の脈で、脈が飛ぶケースです。飛ぶ脈にもいろいろあり、促脈というのは、「来去が数、時に一止、また来る」(『瀬湖脈学』)という、速くて飛ぶ脈です。

【病理】
　脈が飛ぶということは、血の不足によって起こることが多いです。また脈が速いのは熱が多いからです。熱が多いのは陽気が多いということであり、陽気が多いのに血が少ないので、気に血がついていけないのです。そのため、ときどき飛びます。
　脈が速くなるのは、身体全体に気を早く運ばないといけないからです。早く運ばないといけないのに、血の不足があると、オーダーどおりに血を送り出せなくなるんです。ベルトコンベアが速くなったときにのせるものがないようなものです。

【脈図】
　数に傾きます。

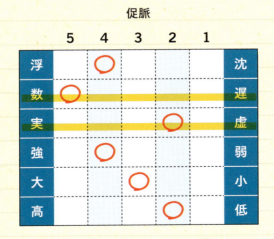

85

【病症】
動悸・不安感・胸痛など、上焦の症状が出ます。

【治療】
形がなくなるから、陰をしっかりと補います。

結脈(けつみゃく)

【形状】
結脈というのは、遅くて飛ぶ脈です。「往来が緩、時に一止、また来る」(『瀕湖脈学』)とあります。

【病理】
これは陰実証や瘀血証のときにあります。前述した濇脈や遅脈の続きです。陽気がぐっと押さえつけられると、脈がゆったりと感じられることがあります。それがさらにひどくなってくると、ゆったりが過ぎて、だんだん飛ぶようになります。陰実証や瘀血証は、奥のほうで流れがよくない状態です。だんだん流れが悪くなって、それが行き着くと脈が飛ぶようになります。

【脈図】
遅に傾きます。

結脈

	5	4	3	2	1	
浮			○			沈
数				○		遅
実		○				虚
強		○				弱
大		○				小
高			○			低

【病症】
動悸・不安感・疼痛・気うつなどがあります。

【治療】
「脈が飛ぶからここのツボ」とは考えず、病因・病理を考えて、病証に対して鍼をします。停滞が多いので、実に対しては輸瀉します。

代脈(だいみゃく)

【形状】
促脈や結脈は定期的に脈が飛びます。しかし代脈は「来ることもしばしば中止し、自ら還る能わず、よってまた動ず」(『瀕湖脈学』)とされ、飛び方に法則性がなく、休止することがあります。

【脈図】
虚・弱・小・低に傾きます。

代脈

	5	4	3	2	1	
浮		○				沈
数						遅
実				○		虚
強				○		弱
大				○		小
高				○		低

【病理】
臓の気・血・津液が虚し、同時に三焦の元気もなくなろうとしています。

【病症】
動悸・短気・心煩などがあります。

【治療】
陽虚で補いますが、程度はひどいです。

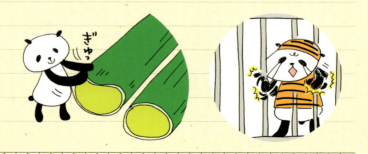

脈診ワークブック
6章

証と脈図

6章は、より実践に生かしやすいように虚実寒熱ごとの脈の特徴を解説していきます。祖脈診と六部定位脈診を読み解き、どうしてそのようなスコアがつくのか、逆説的に理解していきましょう。マスターまであと一歩です、頑張って！

証ごとの脈図を知る

本章では、経絡治療における各証ごとの脈図を示します。臨床で脈診治療を行う際の参考にしてください。

精気の虚から病気が始まる

経絡治療に限らず、あらゆる疾病は各臓の「精気の虚」から始まります。これは各臓が持っている根源的な力であり、各臓を動かしている原動力のようなものです。たとえば肝の精は「魂」ですが、これは肝の根源的な力である「発生の気」を表現したものです。この精気がしっかりしていれば、邪を受けることはなく、病気にはならないという原則があります。ですから、精気の虚から病気が始まると言えるのです。

精気の虚があるときに、さまざまな要因が加わると病気が進みます。

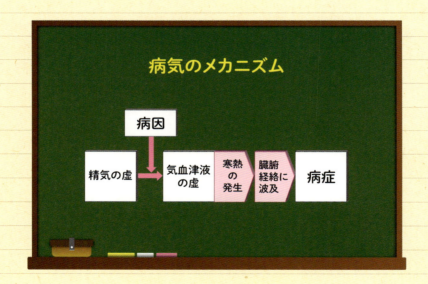

各臓はそれぞれ働きが違います。大きな働きの違いは、身体を構成・運営する「気・血・津液」の受け持ちが違うことです。たとえば、肝は血を受け持ち、肺は気を受け持っています。精気が虚し、それに病因が加わり、気・血・津液にまで虚がおよぶと、身体を脅かす症状が出てきます。

気・血・津液の虚が直接病症を現すこともありますが、気・血・津液の虚によって発生した寒熱の波及によって影響されたさまざまな部位が病症を現します。

==経絡治療では、まず病気を精気の虚をおこす四臓に分類し、基本証としました。これが肝虚証・腎虚証・肺虚証・脾虚証です。==

次に気・血・津液の虚によって発生する寒熱と各臓の蔵象を考慮して、以下のように13に分類しています。

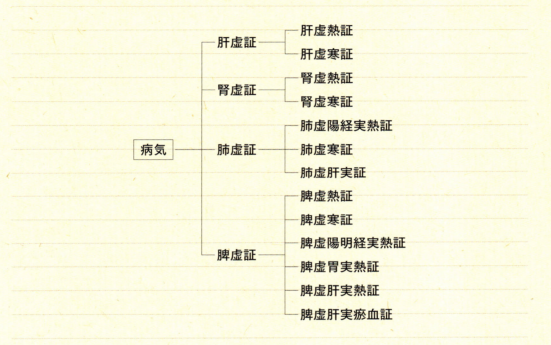

この章では、この13の証それぞれの脈図を、病理と関連づけながら解説していきます。

証の詳しい解説は『図解 よくわかる経絡治療講義』を参考にしてくださいね！

①肝虚熱証

	5	4	3	2	1	
浮		○				沈
数		○				遅
実				○		虚
強		○				弱
大		○				小
高				○		低

全体：浮・弦・虚

左：

右：弦・大

参考『脈診習得法（MAM）—だれでも脈診ができるようになる—』

　<mark>肝虚熱証は陰虚証で、肝が蔵する血の中でも陰が虚して虚熱が発生した状態</mark>です。虚熱は表や上に行きますから、脈は浮いたり、寸口が強くなります。虚熱のため、軽按では強く感じますが、陰血が虚しているので重按では力なく虚しています。左関上と両尺中が虚しています。

祖脈診（脈状診）

浮沈	発生した虚熱は表や上に向かいます。表部に熱が停滞すると、脈は浮き、表症が現れます。
遅数	熱があると脈は速くなるので、熱の程度がわかります。熱があると、のぼせ、発疹、発汗などの熱症状が出ます。
虚実	肝の陰虚の場合は、軽按では実のように感じますが、内を構成する血が不足しているので、重按すると虚を現します。虚の程度を診ることで、血の不足の程度を知ることができます。

強弱	あたりが強いということは、熱が多く、勢いがあることを表しています。あたりが弱いということは、熱が少なく勢いがないということを表しています。 あたりが強いほど、虚熱が多く熱症状が現れており、あたりが弱い場合は虚熱は少なく、熱症状も少ないはずです。
大小	外向きの陽気、つまり肝虚熱証の場合、虚熱が多いと、脈は大きくなります。それだけ熱も多いと言えます。ただし、虚熱の場合、長い間陰虚が続くと火種がなくなるので、衰えていきます。そうしたときは、脈は大きく触れますが、あたりは強くない状態になります。この状態を虚労と言います。
高低	肝血の潤いがなくなると、脈波は低くなり、弦脈を現します。

六部定位脈診

寸口		虚熱は上昇します。上焦におよぶと寸口の脈が強くなります。頭痛・肩こり・のぼせなどの表症があるときには脈は浮きます。心痛・喘息・動悸など裏症があるときには脈は沈みます。つまり脈の浮沈の程度によって、熱の所在がわかり、病症の種類がわかります。脈が強いほど熱が旺盛であるということですから、病症も強く現れます。
関上	右関上	虚熱が胃におよぶと胃熱となり、食欲が亢進します。このときは熱の程度により、右関上の脈が浮いて強くなります。熱が内攻すると脾の実熱になり、糖尿病などの病気の可能性があります。
	左関上	肝血の状態が現れます。虚熱が多いほどあたりが強くなりますが、血虚の程度が強くなると、虚が強くなりあたりも弱くなってきます。 虚熱は胆や胆経および、めまい・口苦・耳鳴りなどの症状が出ます。 軽按では強く触れますが、重按では虚します。
尺中		肝虚熱証には津液の虚もあり、腎も虚すので尺中も左右とも軽按では触れ、重按では虚します。
	右尺中	不眠のときは浮いて強く感じますが、重按では虚です。
	左尺中	膀胱炎などの症状があるときは浮いて強く感じますが、慢性化すると沈んで硬くなります。

治療

　肝腎を補い、他所に波及した熱を瀉します。基本は水穴の陰谷、曲泉を補います。熱の波及が表の胆にあるときは、足の臨泣、陽輔などを瀉します。上焦に熱が波及したときは金穴の復溜、中封を補います。熱の波及が肺大腸経にあるときは、孔最、尺沢、曲池を瀉します。虚が激しいときは土穴の太渓、太衝を補い陰を増やします。手技は『よくわかる経絡治療実践トレーニング』陰虚証の項（p.85）を参照してください。

②肝虚寒証

祖脈診

	5	4	3	2	1	
浮				◯		沈
数				◯		遅
実					◯	虚
強					◯	弱
大					◯	小
高					◯	低

左　　　右

寸：左◯◯、右◯◯
関：左 弱 ◯✗、右 濇 ◯
尺：左 弱 ◯✗、右 ◯✗

全体：弱
左：
右：

参考『脈診習得法（MAM）―だれでも脈診ができるようになる―』

　肝虚寒証は肝中の陰も陽も虚して陽気がない状態です。つまり陽虚証です。<mark>陽気が少ないため、脈は沈・細・弱に傾きます。</mark>陽気が外に取り残される場合があり、そのときは浮・弱・虚となります。

祖脈診（脈状診）

浮沈	陽気が少なくなり、沈みます。表裏とも寒症状が主となります。陽気が外に取り残されたときは、浮きますが力はありません。
遅数	陽虚は基本的には遅脈ですが、陽虚が極まったときや、胸に熱があると脈は速くなります。その場合は、陰虚と違って弱・小など、他が陽虚を現しています。
虚実	陽虚がひどいほど、虚に傾きます。

強弱	陰陽ともに虚しているので、あたりは弱いです。あたりがやや強く感じても、細や虚などで陽虚による熱の停滞です。
大小	陰陽ともに虚しているので、脈は小さいです。大きく感じてもあたりが弱く、浮・弱・虚です。
高低	肝血の潤いと陽気がなくなるので、脈波は低くなります。

六部定位脈診

寸口		陽虚証は気血の循環が悪くなるので、上焦に陽気が取り残され停滞し、熱症状を現すことがあります。頭痛・肩こり・のぼせなどの表症があるときには、脈は浮きます。心痛・喘息・動悸など裏症があるときには、脈は沈みます。
関上		肝虚寒証は血虚が進むと、下焦から次第に中焦にかけて冷えが進行していきます。そうなると関上・尺中とも陽虚を現します。
	右関上	濇・細で重按してもなくなりません。
	左関上	軽按で触れません。重按では触れますが弱く細く虚しています。
尺中		左右とも弱で虚、陽虚を現します。
	右尺中	沈・細・虚で陽虚を現します。
	左尺中	弱、または濡です。

治療

　肝腎を補い、他所に波及した寒を陽気を補うことで除きます。基本は土穴の太渓、太衝を補います。寒の波及が胆にあるときは、丘墟を補います。

　上焦に熱が停滞しているときでも、瀉してはいけません。足三里や丘墟を補って引き下ろします。手技は『よくわかる経絡治療実践トレーニング』陽虚証（p.84）の項を参照してください。

③腎虚熱証

祖脈診

	5	4	3	2	1	
浮		○				沈
数		○				遅
実					○	虚
強		○				弱
大		○				小
高			○			低

全体：**滑・虚**

左：

右：

参考『脈診習得法（MAM）―だれでも脈診ができるようになる―』

　腎虚熱証は陰虚証で津液と腎の陰気の虚です。つまり「形」の不足と引き締める気の不足です。ですから、<mark>陰虚の脈で、上焦や表部に陽気が偏ります。尺中は虚して寸口に熱が偏るので、逆三角形を現します。浮・滑・虚、または沈・滑・虚のこともあります。</mark>熱が旺盛で数脈になります。

祖脈診（脈状診）

浮沈	虚熱が表部に出て、脈は浮きます。
遅数	虚熱があるので、脈は速くなります。
虚実	陰虚ですから、重按で虚を現します。虚の程度を診ることで、津液不足の程度を知ることができます。

強弱	虚熱の発生と、潤いがなくなることから、あたりが強くなります。
大小	虚熱が多いと、脈は大きくなります。
高低	虚熱が多いときは脈波も高くなり滑になりますが、潤いがなくなると脈波は低くなり、弦や牢を現します。

六部定位脈診

寸口		腎虚の虚熱は上焦に移るので、左右とも大きく強くなることが多いです。
	右寸口	軽按でよく感じ、重按で虚しています。熱が上焦に多いと実のときもあります。熱が内攻して呼吸器疾患などがあると、沈・実になります。
	左寸口	心腎は少陰経で陰陽の元締めなので、腎虚の虚熱は心に移りやすく、熱が多いと沈・実になり、高血圧症など循環器系の疾患が考えられます。
関上		左右とも弦・実となることがあります。これは食べ過ぎや飲み過ぎで胃腸や内臓に負担がかかっていることが多いです。
	右関上	腎虚の虚熱が胃に波及して、強くなっていることがあります。長期間暴飲暴食を続けると沈・実になり、糖尿病などの疾患が出ることがあります。
	左関上	左尺中が虚して寸口が逆三角形のように強くなっているときは、同じように強くなっています。
尺中		『難経』に左＝腎、右＝命門とありますが、左右とも虚しています。下焦全体の様子も診ています。
	右尺中	滑や弦で重按すると虚しています。
	左尺中	軽按、重按とも虚している場合と、膀胱や下焦に熱があると滑で虚になっている場合があります。

治療

　腎肺を補い、他所に波及した熱を瀉します。基本は金穴の復溜、経渠を補います。熱の波及が上焦にあるときは、腕骨や曲池を瀉します。手技は『よくわかる経絡治療実践トレーニング』陰虚証の項（p.85）を参照してください。

　上焦の熱が旺盛なときには、肺が実のときもあり、このときは尺沢、孔最を瀉します。肺経は陰実ですから輸瀉がよいでしょう。『よくわかる経絡治療実践トレーニング』（p.86）を参照してください。

④腎虚寒証

	5	4	3	2	1	
浮				○		沈
数				○		遅
実					○	虚
強					○	弱
大					○	小
高					○	低

全体：弱・虚
左：
右：

参考『脈診習得法（MAM）―だれでも脈診ができるようになる―』

　腎の陽虚で津液も命門の火も虚して陽気がない状態です。陽気が少ないため、脈は細・弱に傾きます。

祖脈診（脈状診）

浮沈	陽気が少なくなり、沈みます。表裏とも寒症状が主となります。陽気が外に取り残されたときは、浮きますが力はありません。
遅数	陽虚は基本的には遅脈ですが、陽虚が極まったときや、胸に熱があると脈は速くなります。その場合は、弱・小などを兼ねるので陰虚と区別できます。
虚実	陽虚がひどいほど、虚に傾きます。
強弱	陰陽ともに虚しているので、あたりは弱いです。

大小	陰陽ともに虚しているので、脈は小さいです。 大きく感じても、あたりが弱く浮・弱・虚です。
高低	陽気がなくなるので、脈波は低くなります。

六部定位脈診

寸口	右寸口	微で軽按でも重按でも虚しています。 最後の陽気が残り、他と比べてやや強く感じることもありますが虚しています。
	左寸口	最後の陽気が残るため、他と比べてやや強く感じます。
関上	\multicolumn{2}{l	}{腎虚寒証も下焦から次第に中焦にかけて冷えが進行してきます。それに従って尺中から関上にかけて虚していきます。}
	右関上	陽気が少なくなるにつれ虚してきます。
	左関上	弱いですが、虚実に偏りません。
尺中	\multicolumn{2}{l	}{左右とも弱で虚、陽虚を現します。}
	右尺中	沈・細・虚で陽虚を現します。
	左尺中	軽按で感じますが、虚しています。全体に細く沈んでいます。

治療

　腎肺を補います。陽気を補い、他所に波及した寒を除きます。基本は土穴の太渓を補います。寒の波及が膀胱にあるときは、京骨や飛揚を補います。

　上焦に熱が停滞しているときでも、瀉してはいけません。足三里や三陰交を補って引き下ろします。手技は『よくわかる経絡治療実践トレーニング』陽虚証の項（p.84）を参照してください。

【 ⑤肺虚陽経実熱証 】

	5	4	3	2	1	
浮	○					沈
数	○					遅
実	○					虚
強	○					弱
大	○					小
高			○			低

全体：浮・緊・数
左：
右：浮・大・実

参考『脈診習得法（MAM）―だれでも脈診ができるようになる―』

　肺虚陽経実熱証は肺気が虚して衛気の守りが弱くなるために、寒邪に蓋をされ、陽気が表の部に停滞した状態です。陽実証で、浮・実・数です。全体に強いため、虚がわかりにくいです。

祖脈診（脈状診）

浮沈	寒邪のために陽気の発散が妨げられ、せめぎ合うので、浮きます。
遅数	熱が停滞するので、速くなります。
虚実	気の虚なので、形の虚ほど虚がわかりにくいうえに、熱が多いので実に感じます。

強弱	寒邪と正気がせめぎ合うので、強く感じます。
大小	陽実なので大きくなります。
高低	陽気が旺盛なので、脈波も高いです。ただし寒邪が強く、脈が緊のときは低いです。

六部定位脈診

寸口	右寸口	軽按して浮・実、重按しても指を弾きかえすほど強いです。肺気の虚があるはずですが、脈からは読み取りにくいです。
	左寸口	浮で緊です。他の部位より浮いていれば、小腸経の熱です。
関上	右関上	軽按して浮・実、重按しても指を弾きかえすほど強いです。虚があるはずですが、脈からは読み取りにくいです。
	左関上	浮で緊です。他の部位より強くなっていれば、胆経の熱です。
尺中	右尺中	浮で緊です。
	左尺中	浮で緊です。他の部位より浮いていれば、膀胱経に熱が多いです。

治療

　肺脾を補い、陽経に停滞した熱を瀉します。基本は金穴の経渠、商丘を補います。
　太陽経に熱が停滞しているときは、金門や養老を瀉します。陽明経に熱が停滞しているときは、二間や温溜を瀉します。手技は『よくわかる経絡治療実践トレーニング』陽実証の項（p.83）を参照してください。

⑥肺虚寒証

	5	4	3	2	1	
浮		○				沈
数		○				遅
実				○		虚
強				○		弱
大				○		小
高				○		低

左　寸　右：○○ / ○×
左　関　右：○○ / ○○×
左　尺　右：○○ / ○○

全体：浮・数・虚・濇
左：
右：

参考『脈診習得法（MAM）―だれでも脈診ができるようになる―』

　肺虚寒証は浮・数・虚です。熱が少なくなると沈みがちになりますが、そうなると他の寒証に移行していきます。寒が旺盛なときは、細や弱になります。気が巡らなくなると濇を現します。

祖脈診（脈状診）

浮沈	肺虚のうちは浮いています。
遅数	発熱があると速いですが、陽虚で熱が停滞するための熱です。
虚実	陽気が少なく、虚を現します。

強弱	あたりは弱いですが、熱があると少し強く感じるときもあります。
大小	陽気が少なく、小さくなります。
高低	陽気が少なく、脈波も高くなりません。

六部定位脈診

寸口	右寸口	発熱があれば浮いてきますが、虚しています。気の虚が主体であれば、濇になります。
	左寸口	虚実に偏ることはないですが、寒が旺盛になると虚してくることがあります。
関上	右関上	浮で重按して虚しています。
	左関上	浮で虚実に偏ることはありません。濇・実に近い脈のときは血が停滞しようとしています。
尺中	右尺中	虚実に偏りませんが、寒が旺盛になると虚してきます。
	左尺中	虚実に偏りませんが、寒が旺盛になると虚してきます。

治療

　肺脾を補い、陽経の気を巡らせます。基本は土穴の太淵・太白を補います。陽経の気を巡らせるために、列欠や公孫を補います。手技は『よくわかる経絡治療実践トレーニング』陽虚証の項（p.84）を参照してください。

⑦脾虚熱証

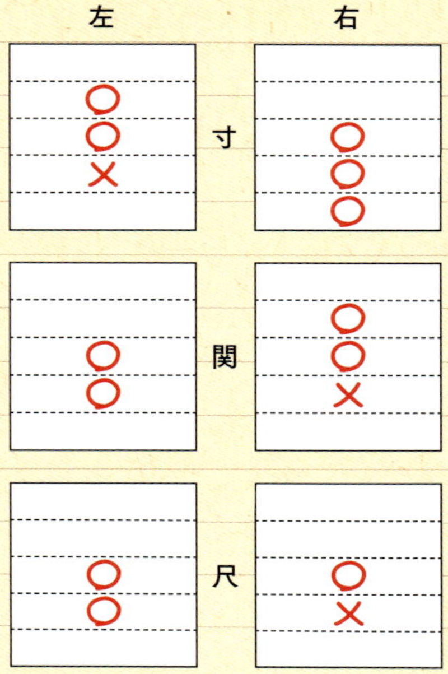

全体：弦
左：
右：弦・大

参考『脈診習得法（MAM）―だれでも脈診ができるようになる―』

脾の陰虚証ですが、<mark>肝虚熱証や腎虚熱証ほど極端な陰虚の脈にはなりません。</mark>熱が多いと強い脈になります。

祖脈診（脈状診）

浮沈	熱症状がない限り、極端に浮くことはありません。
遅数	熱が多いと速くなります。
虚実	熱の波及した部位は滑や弦・実を現します。
強弱	熱が多いとあたりは強くなります。

大小	熱が多いと大きくなりますが、極端にはなりません。
高低	熱がこもることが多く、弦になると脈波は高くありません。

六部定位脈診

寸口	右寸口	基本的に虚実に偏りませんが、熱が上昇して上焦の症状が出るときは、実になります。
	左寸口	軽按も重按も虚していることが多いです。小腸の熱があると軽按で感じます。
関上	右関上	軽按で強く感じ、重按すると虚します。胃に熱があるので食欲はありますが、脾が虚しているので、食べると胸やけ、消化不良などの症状が出ます。
	左関上	重按して弦です。これが強くなってくるのは、肝胆に熱が停滞したためで、脾虚肝実熱証になります。
尺中	右尺中	重按して虚しています。
	左尺中	基本的に虚実の偏りはありませんが、下焦の熱があると強くなります。

治療

　脾心包を補い、他所に波及した熱を瀉します。基本は火穴の大都・労宮を補うことになりますが、便宜上大陵・太白を補います。

　熱の波及が胃にあるときは、上巨虚や下巨虚を瀉します。手技は『よくわかる経絡治療実践トレーニング』陰虚証の項（p.85）を参照してください。

⑧脾虚寒証

	左		右	
	○ ×	寸	○	
	○ ○	関	○ ×	弱
弱	○	尺	○ ×	弱

	5	4	3	2	1	
浮				○		沈
数				○		遅
実					○	虚
強				○		弱
大				○		小
高				○		低

全体：弱・濇
左：
右：

参考『脈診習得法（MAM）―だれでも脈診ができるようになる―』

脾虚寒証は陽虚証で、脈は沈・弱・細で濇です。全体に浮いて弱い脈のときもあります。

祖脈診（脈状診）

浮沈	陽虚ですから沈みがちになります。浮いたときでも弱い脈です。
遅数	遅脈ですが、冷えた反動で発熱すると数になります。
虚実	陽虚ですから、虚に傾きます。
強弱	陽虚ですから、弱に傾きます。
大小	陽虚ですから、小に傾きます。

高低	陽気が少ないので、脈波も高くなりません。

六部定位脈診

寸口	右寸口	沈・濇で弱いです。
	左寸口	軽按も重按も感じにくい微や細で虚しています。
関上	右関上	軽按で胃の脈をやや感じますが、弱い脈で重按すると虚します。
	左関上	沈・弦で弱い脈です。
尺中	右尺中	弱い脈で、重按して虚しています。
	左尺中	弱で虚していることもあります。そうなると脾虚腎虚寒証です。

治療

　脾心包を補い、他所に波及した寒は陽気を補い除きます。基本は土穴の太白・大陵を補います。寒の波及が胃にあるときは、足三里や衝陽を補います。

　上焦に熱が停滞しているときでも、瀉してはいけません。足三里や三陰交を補って引き下ろします。

　手技は『よくわかる経絡治療実践トレーニング』陽虚証の項（p.84）を参照してください。

⑨脾虚陽明経実熱証

	左		右	
	◎ ◎ ✕	寸	◎ ◎ ◎	
	○ ○ ○	関	◎ ◎ ✕	
	○ ○ ○	尺	○ ○ ✕	

	5	4	3	2	1	
浮	○					沈
数		○				遅
実		○				虚
強		○				弱
大		○				小
高		○				低

全体：浮・実

左：

右：実・大

参考『脈診習得法（MAM）―だれでも脈診ができるようになる―』

　脾虚陽明経実熱証は脾の陽実証で、陽明経の実熱ですから、陽経実熱証とも言います。外感が主で、内傷はありません。

祖脈診（脈状診）

浮沈	陽実証ですから浮いています。
遅数	陽実証で熱症状が出ますから、速くなります。
虚実	気虚で実熱ですから、虚はわかりにくいです。
強弱	外感ですから、指のあたりは強いです。

大小	陽実で大きな脈になります。
高低	陽実で洪など、あふれるような高い脈波になります。

六部定位脈診

寸口	右寸口	軽按でも重按でも強く感じます。
	左寸口	軽按して強く感じます。重按して虚しますが、わかりにくいです。
関上	右関上	軽按して強く感じます。重按して虚しますが、これもわかりにくいです。
	左関上	虚実に偏りませんが、強い脈です。
尺中	右尺中	軽按して強く感じます。重按して虚しますが、これもわかりにくいです。
	左尺中	下焦の症状があると強くなります。

治療

脾心包を補い、陽明経に停滞した熱を瀉します。基本は金穴の商丘、間使を補います。陽明経の熱の停滞には、二間や内庭を瀉します。

肺の熱になりかけていたら、魚際の補法または孔最の輸瀉を用います。手技は『よくわかる経絡治療実践トレーニング』陽実証の項（p.83）を参照してください。

⑩脾虚胃実熱証

左		右
	寸	
◎		
◎		◎
×		◎
	関	
○		◎
○		◎
○		×
	尺	
		○
○		○
○		×

	5	4	3	2	1	
浮				○		沈
数		○				遅
実	○					虚
強		○				弱
大		○				小
高				○		低

全体：沈・数・実

左：

右：

参考『脈診習得法（MAM）―だれでも脈診ができるようになる―』

脾虚胃実熱証は陰実証です。脾虚陽明経実熱証は、陽経の熱で、その熱が内攻して陰経および腑に移った状態です。いわゆる陽明病です。

祖脈診（脈状診）

浮沈	陰経や腑の熱ですから沈みます。
遅数	熱があるので数ですが、奥にこもりすぎると遅くなります。
虚実	陰実証ですから実です。
強弱	沈んだところで強くあたります。

大小	沈んでいますが、大きい脈です。
高低	熱が奥まっているので、脈波は高くありません。

六部定位脈診

寸口	右寸口	強く感じます。沈んで強くなると肺熱になります。
	左寸口	理論的には虚しているはずですが、全体が強いのでわかりにくいです。
関上	右関上	沈・実です。理論的には虚しているはずですが、全体が強いのでわかりにくいです。
	左関上	沈・実のときは、肝実熱になっています。
尺中	右尺中	強い脈ですが、重按で虚しています。
	左尺中	沈んで強い脈になっています。

治療

　脾心包を補い、陰経に停滞した熱を胃経を瀉すことで巡らせます。基本は金穴の商丘、間使を補い、上巨虚や下巨虚を輸瀉します。陽明経の熱の停滞には、二間や内庭を瀉します。

　肺熱には孔最や尺沢の輸瀉を用います。

【⑪脾虚肝実熱証】

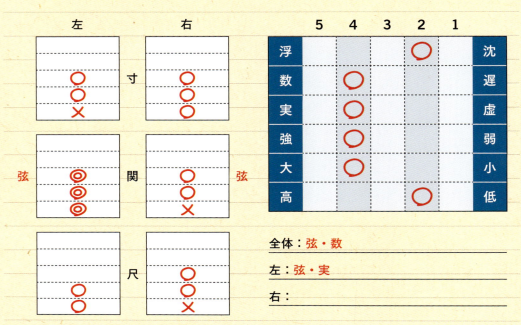

全体：弦・数

左：弦・実

右：

参考『脈診習得法（MAM）―だれでも脈診ができるようになる―』

　急性熱病によって発生した熱が、少陽経・胆・厥陰経・肝にまで侵入した状態です。少陽経に滞った熱は弦を現します。

祖脈診（脈状診）

浮沈	少陽経は半表半裏ですから、中からやや沈です。
遅数	熱があるので、脈は速くなります。
虚実	熱がこもっているので、実に傾きます。
強弱	重按してあたりも強いです。

大小	沈み気味ですが、熱がこもっているので大きいです。
高低	弦で、脈波は高くないです。

六部定位脈診

寸口	右寸口	上焦に熱がおよぶと強くなります。肺に熱がおよぶと沈・実になります。
	左寸口	重按して虚です。
関上	右関上	弦で有力ですが、重按すると虚しています。
	左関上	弦・実・大です。胆経・肝経の熱の分布により浮沈は変わります。
尺中	右尺中	弦で有力ですが、重按すると虚しています。
	左尺中	弦で有力です。

治療

　脾心包を補い、肝胆に停滞した熱を瀉します。基本は金穴の商丘、間使を補い、足臨泣や行間を瀉します。陽明経の熱の停滞には、二間や内庭を瀉します。
　肺熱には孔最や尺沢の輸瀉を用います。

⑫脾虚肝実瘀血証

	5	4	3	2	1	
浮					○	沈
数				○		遅
実		○				虚
強		○				弱
大				○		小
高				○		低

全体：沈・弦・実

左：

右：

参考『脈診習得法（MAM）—だれでも脈診ができるようになる—』

　脾虚肝実熱証の血熱が古びてくると、冷めて瘀血に変わります。瘀血は陰実証です。全体に弦・実です。表部の気の巡りが悪いと、軽按で濇になります。

祖脈診（脈状診）

浮沈	瘀血が陽気の発散を妨げるので、脈は沈みます。
遅数	血の流れが悪くなるので、遅くなります。
虚実	実に傾きます。
強弱	あたりは強くなりますが、弾きかえすことはありません。

大小	瘀血が古くなると津液が少なくなり、脈は小さくなります。ただし実です。
高低	陽気の発散ができないので、脈波は高くないです。

六部定位脈診

寸口	右寸口	上焦に熱がおよぶと強くなります。肺に熱がおよぶと沈・実になります。
	左寸口	重按で虚します。
関上	右関上	軽按では濇で、重按すると弦・虚です。
	左関上	重按して弦・実です。 瘀血が進むと沈・細・実になります。
尺中	右尺中	弦で重按すると虚しています。
	左尺中	虚実に偏りませんが、沈・弦です。

治療

　脾心包を補い、肝胆を瀉します。基本は土穴の太白、大陵を補い、行間や曲泉を輸瀉します。少陽経の熱の停滞には、足臨泣や陽輔を瀉します。

　陰実のひどいときは、三陰交を輸瀉します。

⑬ 肺虚肝実証

	5	4	3	2	1	
浮					○	沈
数				○		遅
実		○				虚
強		○				弱
大				○		小
高					○	低

全体：**沈・弦・実**

左：

右：

参考『脈診習得法（MAM）―だれでも脈診ができるようになる―』

　気の巡りが悪くなって、それが血におよび、停滞し瘀血ができた状態です。七十五難に添うと肺虚ですが、実際は腎虚です。

祖脈診（脈状診）

浮沈	瘀血のために陽気が発散できないので、脈は沈んでいます。
遅数	陽気が奥にあるので、遅くなります。
虚実	陽気が閉じこめられているので、実脈を現します。
強弱	軽按では感じにくいですが、重按では感じ、あたりは強いです。

大小	瘀血が古くなると小さくなっていきます。
高低	弦で脈波は高くないです。

六部定位脈診

寸口	右寸口	肺虚でないこともあり、波及した熱によって違います。
	左寸口	心は腎と表裏なので、腎虚のときは強くなります。
関上	右関上	軽按しても感じ、重按すると力があります。このようなときは、腎虚の虚熱が胃に波及しています。
	左関上	重按して弦・実です。瘀血が進むと、沈・細・実になります。
尺中	右尺中	重按して強く感じますが虚しています。
	左尺中	全体の脈は実で強いですが、ここは虚していることが多いです。

治療

　腎肺を補い、肝胆を瀉します。基本は行間や曲泉を輸瀉し、金穴の復溜、経渠を補います。七十五難型で瀉法を先にします。

　肺は実のこともあり、そのときは尺沢を輸瀉します。少陽経の熱の停滞には、足臨泣や陽輔を瀉します。陰実のひどいときは、三陰交を輸瀉します。

# 脈と薬の影響

　ターミナルケアを受けているような患者さんは、西洋医学の薬もたくさん服用していることが多いです。

　その場合、薬を服用している身体が「現在の患者さんの状態」そのものです。そのため、薬を服用していることを特別考慮することはありません。今の状態をそのまま診て、東洋医学的に診断、治療をします。

　薬を服用していて、調子がよければそのような脈をうっているでしょうし、副作用が出ていればそれが反映された脈をうっているでしょう。特別考慮して鍼をうつようなことはありません。

　ただし、病気によっては服薬していることによって特有の脈をしていることはあります。

　たとえば、高血圧症の患者さんは身体の中に熱が旺盛なために心臓にも負担がかかり、血圧が上がっていることが多いので、脈は沈・実・大となります。降圧剤は治療薬ではなく、高い血圧を抑えてくれているだけですから、古典医学的に言うところの「内熱」がおさまっているわけではありません。ですから、たとえ血圧のコントロールができていても、沈・実・大の脈はかわりません。むしろ沈んで強くうっていることが多いです。つまり、治療も、その内熱を治めるような治療になります。証はさまざまですが、内熱をとるために陽明胃経の瀉法をします。

脈診ワークブック
7章

病と脈の変化

お疲れ様でした！　最後に、脈の変化についてお話しします。6章では証ごとの脈図について説明しましたが、実際の臨床では虚実寒熱の「程度」と「変化」を読み取れることも重要になってきます。病理が変わると脈証がどう変わるのか、まとめました。

寒熱と脈の変化

病は動く

　病気はじっと、そのままの状態ではいません。快方に向かったり、進行したり、症状が変化します。たとえば、肝虚熱証は陰虚の虚熱が発生して主に熱症状が出ますが、血虚が進むと熱も冷め、陽虚に傾いて肝虚寒証になります。

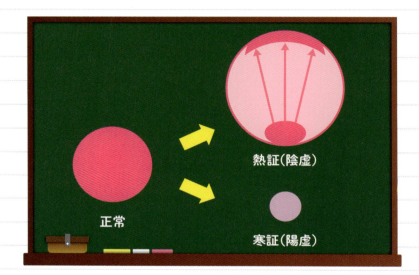

　経絡治療では病気をまず4つの基本証のどれかに分類します。そしてもう少し細かく分けるときは、さらに熱証か寒証に分類して治療します。このときは便宜上、「熱証」もしくは「寒証」、どちらかに分けて治療しますが、実際の患者さんでは100パーセント「肝虚熱証」や、100パーセント「肝虚寒証」という患者さんは、なかなかいません。「肝虚熱証寄りの肝虚寒証」もあれば、「肝虚寒証寄りの肝虚熱証」もあります。そうした個々の患者さんの病態を、脈を診て治療に反映できると、より治療効果も上がります。

　本来、熱証と寒証は、相反するものやはっきり区別されるものではなく、グラデーションのようにお互い交じり合い、行き来するものです。

陰虚証の大きく強く虚している脈は、熱が少なくなると、だんだんしぼんでいって、陽虚証になり小さくなっていきます。

その変化によって病症も変わっていきます。肝虚熱証だったら、カッカとのぼせ上がって、肩がよくこる、耳鳴りがする、熱症状が強い、夜寝られない……といった症状があります。

しかし、だんだん熱が少なくなって血虚の症状、陽虚の症状が強くなっていくと、元気もなくなってきます。そうすると、病症も「身体がだるい」「朝も起き上がれない」などに変わっていきます。

さらに、ときには熱と冷えが混在していることもあるし、最終的には冷えだけになる場合もあります。

これらの変化は脈に反映され、脈をしっかりと診られるようになると、変化のどの過程にあるかも見分けることができるようになってきます。

熱証から寒証へ

	5	4	3	2	1	
浮		○				沈
数		○				遅
実					○	虚
強		○				弱
大		○				小
高				○		低

病症と脈診

咳の病理

臨床で患者さんが訴えてくる病症は、実際の精気の虚のある臓とは限らず、寒熱が波及した部位であることが多いです。そのため、たとえば咳の患者さんが来院しても、すぐ肺虚証と結びつけてはいけません。もちろん肺の病症であることは確かですから、その裏側の病理や精気の虚とは別に、寒熱の波及した部位を肺として虚実寒熱を決めて治療をします。脈診では、右の寸口である肺の脈に注目します。

急性熱病

　肺虚陽経実熱証や脾虚陽明経実熱証などの急性熱病のときの咳は、陽経から肺にかけての熱で、右の寸口脈は浮・大です。肺の脈も虚しているはずですが、全体に浮いて強い脈なので確認しにくいです。このようなとき肺に対しては、二間や曲池から瀉すなどして大腸経から瀉法します。

　熱病が長びいたり、風邪は治ったけれど咳だけが残るということがあります。このようなときは、熱が内攻して脾虚肝実熱証や脾虚胃実熱証になっています。そして肺の熱も内攻して沈・実になっています。咳に限らず脈を診たときに、大きい脈と小さい脈だと、大きい脈のほうが重症のように思いがちですが、小さく沈んだ脈というのは、それだけ熱が内攻してこもっているということになり、いい状態とはいえません。

　既往症に肺炎のある人で、検査しても肺には異常はないが、咳が止まらない、風邪をひくとすぐ高熱が出る、倦怠感が強いというような人は、右の寸口の脈が沈で非常に硬く強い脈をしていることがあります。検査には出なくても、脈診で診るとまだ肺炎の気配が残っているのです。

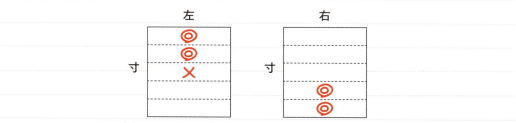

咳をするときは、右寸口の脈の浮沈・虚実に注目する。

参考『脈診習得法（MAM）—だれでも脈診ができるようになる—』

慢性的な咳

　風邪をひかなくても、咳が出るときがあります。喘息の発作など体質的なものもあります。このときの病理は、肝積や腎虚の上逆からくるものなどさまざまですが、肺には熱が停滞していることが多いです。

　このようなときは、証に従って治療した上で、肺経の熱の対応をします。

　浮いていれば二間や曲池の瀉、沈んで強いときは火穴で苦味の性質のある魚際を補うか、尺沢や孔最など強い反応の出ている経穴から輸瀉をします。

病症の病理をとらえる

　脈診は咳を起こしている熱の程度や病位など、患者さん自身では表現できなかったり、知り得ない情報を得ることができます。

　このように、寒熱の波及した部位についても、脈診などを頼りに虚実寒熱を知り、それに従って補瀉を施すことが大切です。

瘀血と脈の変化

血の変化と脈の変化

　肝は血を蔵します。経絡治療では肝虚証は血虚、肝実証は瘀血ということになります。つまり虚に傾くか実に傾くかで、病理も違いますし、脈も違います。そこで肝を例に、虚実の変化と脈証の変化について説明します。

平脈

　一番まんなかの「平」というのは陰陽がうまく混ざりあっているので、熱くもなく冷たくもない、硬くもなく軟らかくもない、そういう充実した脈をしています。身体の中の状態もそうなっているということです。脈が整うということは、身体の中もバランスがとれていて、充実しているということです。

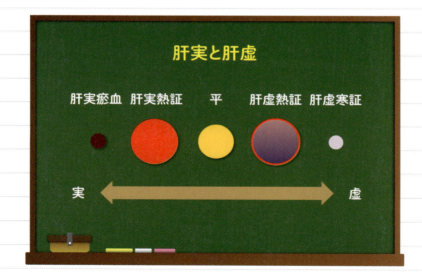

肝虚熱証

　肝虚証から説明していくと、血がなくなるのが肝虚証です。肝＝血、血虚＝肝虚証だからです。肝虚熱証は陰虚証で、肝虚寒証は陽虚証です。肝虚熱証と肝虚寒証はまったく正反対のものではなくて、熱証は陰がなくなったもの、寒証は陰陽とも

になくなったものです。そのため、レベルで言うと、肝虚熱証のほうが、より健康な状態に近いです。陰がなくなっただけですからね。

　これは実際は、病気の軽重や体質的なものもあるので、はっきりとどちらが重症だとは言えません。しかし、基本的な考え方としては、健康な人はまず陰だけが虚して、陰虚証になります。いきなり陰陽ともに落ちていくこともありますが、普通はまず熱証（陰虚証）になります。

　陰虚ということは、身体の中の陰が少なくなります。陰が少なくなると、冷やす作用が少なくなります。すると虚熱が発生します。熱は陽性ですから外、表、上に移動する性質があります。そして辿り着いた場所で病症を現します。

　陰虚のときに脈は大きくなります。なぜなら陰が少なくなって、バランス的に陽のほうが増えるので、脈が外向きにふくらむからです。ただし「陰が虚す」ということは、中に詰まっているものがなくなるということですから、脈の中は虚しています。触れたときには大きいのに、押えていくとペコッとなくなってしまう、指にあたらなくなってしまうのが肝虚熱証の脈です。

　脈を診たときに、「大きいから元気です」ということではなくて、身体の外側に虚熱が出てきているだけで、中はスカスカになっている状態です。

　スカスカになっているということは、血がないということなので、たとえば、子宮もちゃんと働きません。そして虚熱が子宮に行くと、月経不順や月経痛が起こりやすくなります。

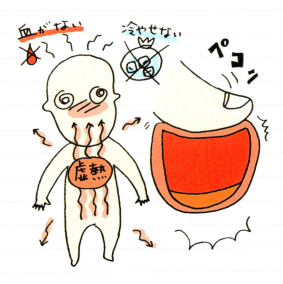

肝虚寒証

陰虚の状態がずっと続いて慢性的になると、虚熱は少なくなってきます。熱の出処は「陰」です。陰というのは血であり、腎の津液です。つまり、腎の津液を無理やり焚いて熱をつくっていたわけです。そして津液の補充が効かなくなると、腎虚証や肝虚証になるのです。そのまま焚きっぱなしにしていたら、そのうち燃やすものがなくなってきて火も冷めます。そうなると、陰も陽もなくなり、この段階で肝虚寒証、陽虚証になります。

最初は陰陽がちょうどよい具合で、軟らかく充実した平脈だったのが、陰が虚すことによって脈が大きくなり、外側は強くなっても、中はスカスカ、空っぽの脈になります。さらにどんどん進んでいき、焚くものがなくなってくると、熱が少なくなり脈がしぼんで小さくなってきます。その結果として、陽虚証、寒証という段階に入っていきます。そうなると細脈や弱脈になります。

こういった経過からわかることは、陰虚証と陽虚証はまったく別物ではないということです。脈をきっちりと見分けられたら、身体の状態が陰虚証、陽虚証のどの辺にあるかということがきっちりつかめるのです。すると、どの程度瀉したらよいのか、どの程度補ったらよいのか、手技をうまく組み立てられるようになります。これが「サジ加減」ですね。

肝実熱証

肝虚にも程度があったように、肝実にも程度があります。大きく分けると、肝実熱証と肝実瘀血証です。肝実熱証は肝血に熱が入り滞ったもの、肝実瘀血証は肝血が滞ったものです。この２つも明確に別れるものではなく、程度があります。まず肝実熱証から説明していきましょう。

肝実熱証は、肝血に熱が入り滞ったものです。風邪をひいたり、胃腸が悪くなったり、脾虚熱証の熱が肝血に入ったりと、原因はさまざまですが、その熱は最初、肝経の表にあたる胆経を中心とした少陽経に滞ります。

少陽経に熱が滞ると、大きく強い脈になります。風邪をひいて熱が出たら、患者さんの脈は大きく強くなります。これと同じで、肝血に熱が入ると、肝の脈が大きく強くなります。脈は「弦・大」などで表現できますが、これが肝実熱証の脈です。

長い間この状態でいることもありますが、熱はいずれ冷めてきます。風邪ひきの熱も何日かしたら段々冷めてくるのと同じで、熱は表面から冷めてきます。肝胆にある熱は半表半裏にあって、表の熱に比べて奥まった熱のため、とれにくいです。

そのため、その熱が少陽経にずっと滞り、内攻していくケースがあります。

肝実瘀血証

　肝実熱証の少陽経の熱は胆、肝経、肝に行きます。そうして長く熱が停滞すると、血は粘ってきます。最初はサラサラだったものが、ずっと熱を加えることによって粘って、固まってきます。カレーに熱を加えると、水分が脱けて、だんだん粘ってくるのと同じです。これが肝実瘀血証です。最終的には熱も冷め、血の滞りが主となります。肝実瘀血証になると脈は、細くて硬くなります。熱もなく、潤いもなくなるためです。

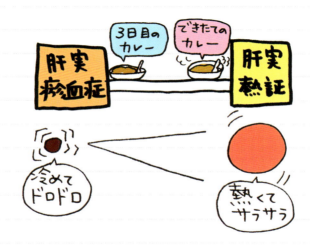

==肝実熱証と肝実瘀血証にも間があります。脈で言うと、熱の強い段階では大きく強くうち、熱の内攻に伴って、だんだん小さくなって硬くなります。==

肝実熱から瘀血へ

	5	4	3	2	1	
浮		○			→	沈
数		○			→	遅
実		○				虚
強		○				弱
大		○			→	小
高		○			→	低

　瘀血と脈の関係を理解できれば、脈診で瘀血の状態を知ることができます。大きく軟らかいものほど、新しく軽いものとなり、細く硬くなるに従って、古く頑固なものになります。古いものということは、治りにくいということを意味します。

　このように、血の病気といっても、虚実のどの辺りにあるかということを、見極めて治療をしないといけません。当然、虚も実も左右の端になるほど治しにくいです。

　つまり==血の病気というのは、瘀血から血の陽虚までがずっと繋がっているわけで====す。それぞれ寒証や熱証など独立しているわけではありませんし、この間にいろいろな段階があり、これを見極めるのに脈診が有効なのです。==

脈診を治療に繋げる

　脈を診て病気の程度がわかると、治療にも反映できます。寒証に寄るほど、鍼の手技をデリケートにしないといけません。逆に熱証から瘀血に傾くと、輸瀉を取り入れたり、置鍼を取り入れたりします。

　同じ肩こりでも、熱証なら本治法も置鍼して、背部も置鍼してというような形で対応できます。しかし、寒証の側になってくると、単刺で丁寧に治療しないといけません。瘀血が強い場合でしたら、置鍼を長めにしたほうがよいと判断できます。

PART 4

TITLE.
寒の邪の侵入と脈の変化

傷寒

　外から入ってくる病気のことを、「外邪」と言います。「邪」というと何か悪者のように聞こえますが、外邪にすべての責任があるわけではありません。なぜなら、外邪は無理やりには人体に侵入できません。人の身体のほうに内側の虚、正気の虚があるときに、それにつけ込んで侵入するのです。

　本来、外邪に含まれる、風・寒・暑・湿などは、森羅万象や、人間を成長させるのに必要なものです。しかし、人間の身体がおかしい、つまり内側に虚があると、逆に牙をむけてくるのです。外邪は外側から入ってくる、というのがポイントです。外側から入ってくるということは、まず陽経、次に陰経というように、外に近いところから害が及んでいきます。

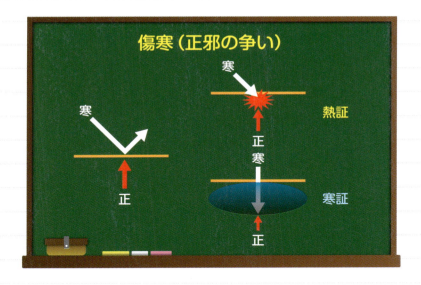

　人は陽気を発散循環することで、生命活動をしています。この「陽気」は「正気」や「衛気」ともいって、特に表部では腠理の開闔を主り、体温調節をしたり、外からの侵入者を防ぐ役割があります。正気がしっかりしていたら、外からたとえ強い寒の邪が入ろうとしても、侵入されない、つまり病気にならないのです。はじき飛ばすことができるわけです（図の左）。

逆に正気が弱って守りが弱くなると、その弱みにつけ込んで、寒の邪が入ってきます。ただ、正気も完全にゼロではないですから、入ってきたところでせめぎ合いが起こります。寒の邪は強い陰性のものですから、体表面の腠理を閉じてしまいます。そうすると、表の部分の発散できなくなった陽気(正気)が熱となり、停滞して発熱するのです。

　寒の邪に入られるのに、熱が出るっておかしいと思ったことはありませんか？ この熱はどこかから入ってきたものではなく、身体の中の本来発散すべき陽気が寒の邪に邪魔されて、発散できずに停滞するために起こる熱なんです。いわゆる肺虚熱証とは、表の部分の陽経に熱が停滞した証のことです。そのため肺虚陽経実熱証と言われるのです。

伝経
　『傷寒論』では太陽病、陽明病といった病気の分類がありますが、これは寒の邪に侵入され、熱が停滞した部位の病気のことを表しています。

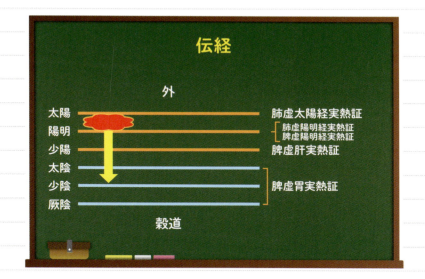

　図のように、各経絡には深さがあり、表部から陽経、陰経の支配を受けています。そうして外から最初に侵入されるのが、一番外側にある太陽経です。風邪の初期症状では、太陽病となります。

ここで正気が回復し、熱を発散して寒邪を追い出したら、これで病気は終わりということになります。しかし、正気の回復が悪く、守りが弱いと、この熱の停滞がより奥に侵入してきます。そうすると、最初は太陽経にあった熱が陽明経に移り、少陽経に移り……と、順番に侵入してきます。

　熱の出方も、経絡の性質や深さによって変わっていきます。太陽経の熱は発熱・悪寒、陽明経の熱は潮熱、少陽経の熱は往来寒熱、さらに熱がもっと内攻して陰経に入ると腑の熱になります。

　<mark>侵入と同時に脈も変わっていきます。</mark>太陽経は一番外側にあるため、熱が停滞すると、浮・大という脈になります。陽明経はちょっと奥まったところになるので、浮いてはいますが発散しきれない長い脈になります。もっと奥まった少陽経に停滞すると弦脈になります。経絡の深さとともに、熱の出方、脈の現れ方も変わっていくということです。

　経絡治療的に表現すると、太陽経の熱の停滞を肺虚太陽経実熱証、そして陽明経に入って肺虚陽明経実熱証と言います。この肺虚太陽経実熱証と肺虚陽明経実熱証を合わせて肺虚陽経実熱証と言います。そして肺虚陽明経実熱証からもう少し進むと、今度は脾虚陽明経実熱証になり、次に少陽経に入り脾虚肝実熱証になります。

陽経実熱から胃実熱（陰経熱）へ

	5	4	3	2	1	
浮	○				→	沈
数	○					遅
実	○					虚
強	○					弱
大	○					小
高	○				→	低

　太陽経、陽明経の熱は、表に近いので、陽経から直接瀉します。陽明経のほうがやや深めです。少陽経は半表半裏なので、熱が停滞しやすい部位です。やや深めに刺し、熱の程度によっては輸瀉します。

陽明病

傷寒で熱が内攻して病気が進むと、==陰経の熱になります。陰経は腑と隣接しているので、陰経の熱は腑の熱と同じです。==ここで言う腑というのは穀道のことで、==主に胃・大腸・小腸を指し、陽明胃経の支配を受けています。==そのため陰経の熱、つまり腑の熱のことを陽明病と言います。

ややこしいのは、この陽明病というのは、先ほど傷寒のところで説明をした、陽明経の熱とは違うということです。陽明経の熱というのは、陽経の熱の停滞で、肺虚陽明経実熱証や脾虚陽明経実熱証です。脈は浮いて大きく、このような陽経の熱は、直接陽経から瀉します。

陽明病は陰経および腑の熱のことです。これは脾虚胃実熱証です。==胃だけが熱を持っているだけではなくて、実は陰経にも熱があることを脾虚胃実熱証と言います。==この腑に隣接した陰経の熱を取るにはどうしたらよいと思いますか？

漢方薬では、陰経の熱は下剤で腸から出します。腸から熱を抜くことによって陰経の熱を抜くわけです。ですから、これを鍼灸治療に応用して、胃経から瀉します。

そういったときは陽明胃経の上巨虚など、下肢の硬いところを探って、一番硬そうなところに深めに刺して、気が充実したらゆっくりと引き抜く。つまり陰実にするような輸瀉の鍼を陽明経にします。これで脈が浮いてきます。

PART 5

暑の邪の侵入と脈の変化

暑病

　最近の夏は非常に暑く、「熱中症や熱射病の予防のために水を飲みましょう」とうるさいぐらいに言われます。しかしそれは、東洋医学的には正しいとは言えません。水を飲み過ぎると脾胃が弱ります。脾胃が弱ると、陽気の生成ができずに、外の守りが弱くなり、余計に暑の邪が入りやすくなるのです。

熱証

　基本的には寒の邪と同じです。冬は寒の邪、夏だったら暑の邪があります。正気が弱って外の守りが弱いと、この虚に乗じて暑が入ってきます。寒の場合は体表面にふたをされることによって発熱という状態が起こりました。暑の場合は表面に停滞して、そのまま熱になります。
　熱が停滞して、内側からの熱と合わさり熱実になります。そのとき脈は、洪や滑といった陽気の非常に強い脈になります。いわゆる陽実証です。
　陽経で熱が非常に旺盛になると、身体がほてったり、頭痛、煩躁状態、喉がよく乾くなど、身体がカッカし、熱の病症が出てきます。暑い日に炎天下で労働をしていると、最初はこのような状態になります。これはいわゆる熱射病です。身体がほてって、シャワーを浴びても冷たくないとか、冷たい水をいくらでも飲めるなどの状態になります。
　この状態は、証で言うと、脾虚陽経実熱証、脾虚肺熱証、脾虚胃実熱証です。この場合、熱が旺盛なため、熱をおさめる火穴や、気を巡らす金穴を補ったり、郄穴から瀉法することもあります。肺の実熱に対しては、孔最から瀉します。

寒証

　暑の邪はこの後、表面の熱が旺盛だと寒の邪のようにふたがされないため、汗がどんどん出ていきます。汗は血や気が変化したものですから、汗をかくほど身体が消耗していきます。「壮火は気を食む」という言葉があります。少ない火というのは、身体を温めるなどして元気にします。しかし明らかに大きな熱というのは、逆に元気を消耗させるということです。
　そうすると、汗として気が漏れていきますから、身体全体の元気がなくなってい

きます。元気がなくなってきたら、熱を押しとどめることができないので、熱は内攻していきます。

　熱は元気を奪っていきますから、倦怠感、煩熱、下痢、食欲不振などがおこります。お年寄りが家の中にずっといるのに熱中症になるパターンは、まさにこれです。

　このとき証は熱の侵入によって脾の元気がやられているため、脾の陽虚証として分類します。脾虚寒証や脾虚腎虚寒証になります。脈は散脈や、浮いていて虚で弱の脈、沈んでいて弱い脈などに変わっていきます。

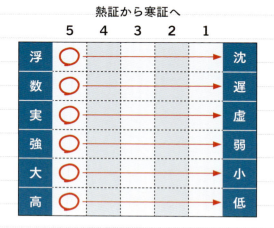

　治療は寒証として土穴や金穴で元気をつけるような、陽気を補っていく方向から治療していきます。熱症状があっても瀉してはいけません。

湿の邪の侵入と脈の変化

湿（痰飲）

湿邪には侵入経路が２つあります。一つは寒邪などと同じ体表部、もう一つは口です。

体表からの湿

体表部から侵入する湿邪によるものは、体表に水が滞ります。本来、表の部分には陽気がありますが、その陽気と湿邪がぶつかります。

湿邪というのは水です。水は陰の性質を持っています。陰が入ってくると、外側にある陽気とがぶつかり合います。そうすると陽気がパワーダウンします。そのため、濡脈という軽く触れたときに弱く感じる脈になります。陰と陽が、表の部でバッティングして相殺するわけです。

しかし、この段階では内側の虚はありません。ですから軽按では緩脈ですが、重按では虚しません。証で分類すると、脾虚陽明経実熱証です。脾が外側の経絡を巡らす力が弱まったために、湿邪に侵入されているだけですから、内側に虚はないのです。病症は膝関節痛、むくみなどがあります。

体表の湿

	5	4	3	2	1	
浮		○				沈
数		○				遅
実		○				虚
強				○		弱
大		○				小
高				○		低

口からの湿

　口から入る水分は胃に停滞し、陽気の発散を阻害したり、胃の陽気を奪います。陽気の発散を阻害したときは胃に熱が停滞しますから、脈は沈・弦で実になります。病症としては、胃内停水、胃もたれなど胃腸症状がありますが、胃に熱があるので、口渇や食欲はあります。

　水が胃の陽気を奪うと胃が冷えますから、脈は沈・細・虚になります。病症は食欲不振、下痢、冷え症などがあります。

胃寒

	5	4	3	2	1	
浮				○		沈
数				○		遅
実				○		虚
強				○		弱
大				○		小
高				○		低

胃熱

	5	4	3	2	1	
浮				○		沈
数		○				遅
実		○				虚
強		○				弱
大		○				小
高				○		低

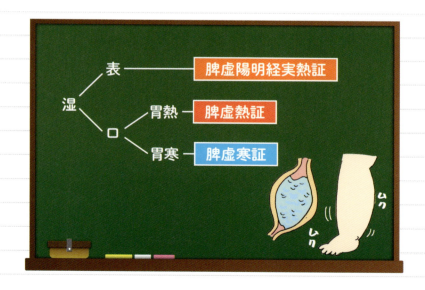

PART 7

TITLE.

虚労と脈の変化

　労働は、いわゆる陰の形あるもの、つまり血や津液を消耗します。虚労というのは、その状態が久しく続いた結果の病です。普通の健康な人は、身体や頭を使うと、血・津液をガソリンのように消耗して陰虚に傾きます。いわゆる肝虚熱証とか腎虚熱証です。陰虚の脈というのは、浮・大・虚です。虚労というのは、この状態がずっと続いた状態です。たとえば、徹夜のバイトが1週間も続くとか、毎日遅くまで会議があるなどです。

　こういったとき、最初は血をたくさん消耗して、エンジンが空回りして熱を持つので、脈も大きくなりますが中は空虚になります。これが陰虚の虚熱による脈です。
　しかしそのまま長時間の労働などを続けていると、今度は燃やすものがなくなります。入ってくる量よりも出ていく量が多いわけですから、しまいに燃やすものがなくなります。燃やすものがなくなると、火も弱まり、冷えのほうに傾いていきます。熱証から寒証に移行していくわけです。
　その過程で脈は、だんだんしぼんでいきます。どんどん元気が少ない状態になりますから、最終的に脈は沈・細・虚といった脈になってきます。浮・大・虚と沈・細・虚を考えてみましょう。
　<mark>虚労の脈は浮・大から沈・細へ移行する途中の脈で、触れると大きいですが、反発も少なく虚しています。</mark>血管というチューブがパンパンに膨らんで、その後しぼ

んだのですが、伸びきって緩んだ脈をしています。このようなときは、陽虚証でとって治療したほうがいいでしょう。

虚労

	5	4	3	2	1	
浮		○				沈
数			○			遅
実					○	虚
強				○		弱
大		○				小
高				○		低

PART 8

気うつの脈

　経絡治療では、運動器疾患も婦人科系疾患も精神神経科系疾患も、すべて同じように考えて治療します。あらゆる疾患は、身体の中にアンバランスができ、それが病症として身体の外に現れていると考えるということです。うつ症状ももちろんそうです。
　うつ症状のある人は大きく分けて2つのケースがあります。陽虚証と陰実証です。

陽虚

　陽虚証でうつの人は、全身の陽気が少ないため、発散できるだけの陽気がありません。そのため、身体を動かす元気自体がなくなります。倦怠感があり、気力もありません。食欲もなく、食べようとしてもあまり食べられません。陽気自体がないので、脈は沈・細・虚です。

陰実

　対して、陰実証でうつの人は陽気が陰の部に閉じこめられて発散できないので、表の部には陽気がありません。そのためうつ的になるのです。ただ実際内部には陽気があるため食欲はあり、便秘もするといった内熱の症状が現れます。脈は陽気がこもっているので、沈・実です。
　うつ症状の患者さんが来院したときに、これらを取り違えると、治りが全然違いますし、悪くしてしまうこともあります。その見極めとしては、脈診はもちろんですが、問診で生活習慣などを聞くことも役に立ちます。
　身体がしんどい、朝起きられないけれど、ご飯はしっかりと食べられるとか、好きなことはできるというような人は陰実証が多いです。陽気は中にあるからです。陽虚の人は、もとの元気がないから、治療院までなかなか行けませんということもあります。食欲もないし、ずっと横になっているほうがよいという人が多いです。
　このように、脈だけではなく、問診などでフィードバックしていき、同じ病気でも分けて治療することによって的確な治療ができます。

鍼灸師も『傷寒論』を読もう

「鍼灸師も『傷寒論』を、勉強しなさい」ということは、昔からよく言われています。しかし、『傷寒論』というのは急性熱病の漢方薬の本です。

その理由として、『傷寒論』にも鍼灸の記述があるということをあげる人もいますが、正解ではありません。鍼灸について書いてあるのはほんの数カ所で、他書を差し置いて読むほどではありません。

湯液の本なのに、鍼灸師も『傷寒論』を勉強しなさい、というのは、『傷寒論』には急性熱病時の熱の伝わり方、侵入の仕方が書かれているからです。

たとえば1日目は太陽経に熱が入り、太陽経にあるときは頭項強痛などの症状が起こります。2日目は陽明経に入り、鼻が乾いてのどが痛い、そういった陽明経の病気が出てきます。少陽経に入ったらめまいがしたり、口が苦くなるとかという、少陽経の症状が出てきます。

これは『素問』熱論（31）にも書かれていることで、『傷寒論』はそれを深く掘り下げた書なのです。だから鍼灸師も『傷寒論』を勉強しなさいと言われているんです。

「寒というのは外邪の親玉です」という話がありますが、寒の邪が一番激しい病気を出すからです。外邪の進み方というのは基本的にはp.129の寒の邪の動き方に準じます。その熱の伝わり方、病気の現れ方を知るために『傷寒論』は有用なのです。

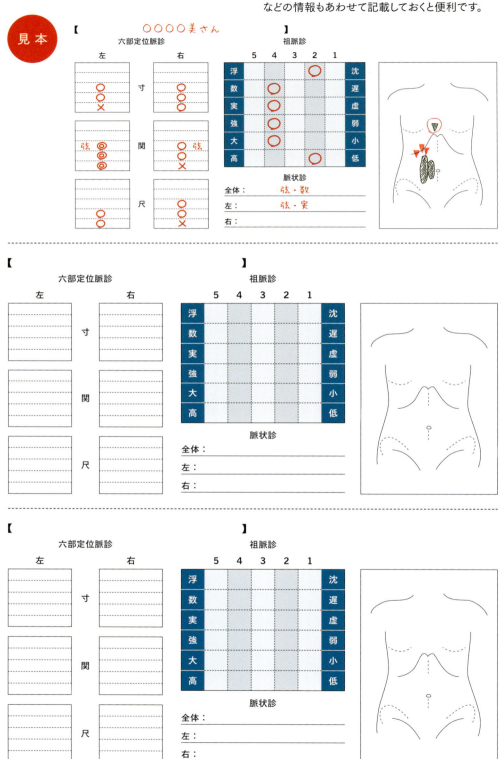

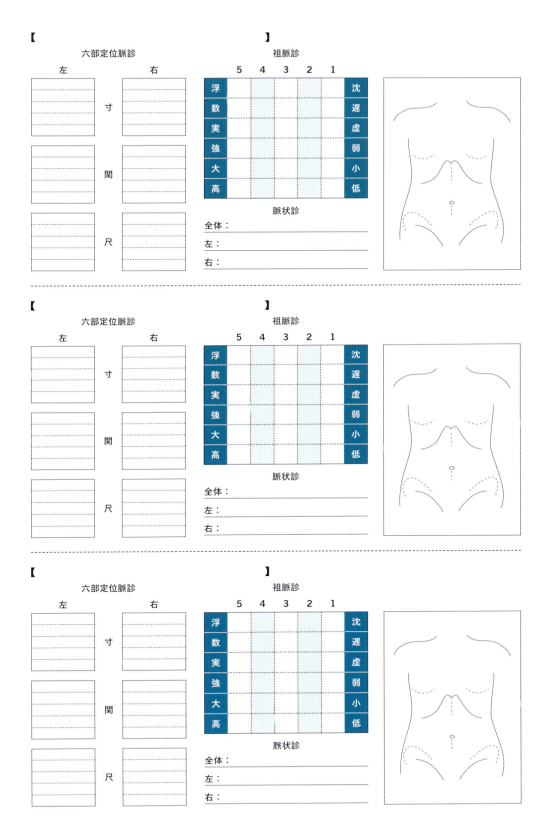

PART: おわりに

25年の成果

伝統医学のマイルストーン

　この『よくわかる経絡治療脈診ワークブック』および、同時発刊の『よくわかる経絡治療実践トレーニング』は、私の25年の修行や勉強の成果です。池田政一先生に教わったもの、弟子仲間で切磋琢磨したもの、日々の臨床で患者さんの身体から教わったもの、弟子や経絡治療学会徳島部会、阪神部会の指導で気づいたものを、ひとつひとつ積み上げ、ブラッシュアップし、まとめたものです。

　しかし、これはあくまでも25年の途中経過です。私もここで書いたことすべてを完璧にこなせているわけではなく、ポイントやドリルを身近な目標として日々研鑽しています。そうしているうちに新たな発見があり、新しい課題に取り組むことになります。名人への道に終わりはないのです。

　名人への道はまだまだ遠く険しいものですが、幸い師匠をはじめとする先人が先達を務めてくれています。私たちは先人が切り開いてくれた「伝統医学」という道を歩くことで、その恩恵にあずかっています。ですからできるだけ道を整備して、あとから来る人達が、より遠くまで行けるようにする義務があります。

　私自身がどこまで到達できるかはわかりませんが、ここまで積み上げてきた技術やノウハウを隠さず広めることで、道が途絶えないようにしたいと考え、本書を執筆しました。

　今後もさらなる探求研鑽をし、自分自身および本書が伝統医学の発展におけるマイルストーンとなるようにしたいと思います。

2017年12月吉日
おおうえ薬局治療院　大上勝行

〈参考文献〉

現代語訳　黄帝内経素問（上・中・下）．東洋学術出版社，1991
現代語訳　黄帝内経霊枢（上・下）．東洋学術出版社，1999
秦越人 著．黄帝八十一難経．学苑出版社，2007
張仲景 著．楊 金萍 編集．傷寒論．中国中医薬出版社，2006
玉池斉，清 著．脈論口訣．
曲直瀬道三 著．古典鍼灸醫術研究會 編．増補脈論口訣．古典鍼灸醫術研究會，1946
李時珍 著．瀕湖脈学．上海中医薬大学出版社，2006
池田太喜男 監修．鍼灸医学諺解書集成 第5巻 難経本義諺解．オリエント出版，1987

大上勝行 著．図解 よくわかる経絡治療講義．医道の日本社，2014
大上勝行 著．難経レッスン．医道の日本社，2010
池田政一 著．初めて読む人のための難経ハンドブック．医道の日本社，1996
池田政一 著．難経真義．六然社，2006
池田政一 著．新・古典の学び方．たにぐち書店，2013
経絡治療学会 編．日本鍼灸医学（経絡治療・基礎編）．経絡治療学会，1997
経絡治療学会 編．日本鍼灸医学（経絡治療・臨床編）．経絡治療学会，2001
木戸正雄 編著，武藤厚子，光澤 弘 著．脈診習得法（MAM）だれでも脈診ができるようになる．医歯薬出版社，2013
河合重孝，川井正久 編著．中医脉学と瀕湖脉学．たにぐち書店，2009
趙恩儉 編．中医脉診学．天津科学技術出版社，2005

大上勝行，山口誓己，太田智一 著．婦人科疾患の経絡治療．にしずかラボ，2016
https://note.mu/projectk/m/m77f176175682

大上勝行（おおうえ・かつゆき）

1965年、徳島県生まれ。近畿大学薬学部卒業。大阪鍼灸専門学校（現・森ノ宮医療学園専門学校）卒業。池田政一氏に師事。おおうえ薬局治療院院長。経絡治療学会理事、夏期大学講師、にしずかラボ主宰。（一社）徳島県鍼灸師会副会長。著書に『図解 よくわかる経絡治療講義』『絵本 難経レッスン』（ともに医道の日本社）、『東洋医学の春夏秋冬─セルフケアでからだを整える』（三樹書房）などがある。

協力	山口誓己
	太田智一
カバー・本文デザイン	掛川竜
撮影	田尻光久
モデル	田辺千晶
イラスト	えのきのこ
図版作成	小田静（株式会社アイエムプランニング）

よくわかる 経絡治療脈診ワークブック

2018年1月20日　初版第1刷発行
2022年9月5日　初版第3刷発行

著者　大上勝行
発行者　戸部慎一郎
発行所　株式会社医道の日本社
　　　　〒237-0068　神奈川県横須賀市追浜本町1-105
　　　　TEL 046-865-2161
　　　　FAX 046-865-2707

©Katsuyuki Oue.2018
印刷・製本　ベクトル印刷株式会社
C3047　ISBN 978-4-7529-1403-7
本書の内容、イラスト、写真の無断使用、複製（コピー、スキャン、デジタル化）転載を禁じます。